KB003712

내 일기장 속 영화음악

내 일기장 속 영화음악

20세기 영화음악, 당신의 인생 음악이 되다

1부.
첫걸음 편 : 방송에서 자주 만날 수 있었던 영화음악 10

2부.
All-Star(올스타) 편 : 영화음악 팬들이 사랑한 20세기 영화음악

Part I Team Ante Meridiem – 오전에 어울리는 영화음악 17

2부.
인터미션(Intermission)

Part II Team Post Meridiem – 밤에 듣기 좋은 영화음악 17

3부.
高手 篇(고수 편) : 익숙하지만 영화음악인지 모르는 곡, 조금은 가려진 곡 15

중학생 혹은 초등학교 고학년 정도 나이였던 것으로 생각납니다. 어떤 TV 연예정보 프로그램에서 1980년대 최고 인기가수 중 한 분인 전영록 아저씨의 집에 취재를 나갔었어요. 집에는 아저씨가 좋아하는 영화의 비디오테이프, 유명 LP판이 방 하나에 가득 들어있었죠. 그 방을 보고 '나도 언젠가 어른이 되면 꼭 저런 방 하나 만들고 싶다! 그리고 그 방 안에 비디오, 오디오 시스템을 갖춰 놓고 내가 원할 때 언제든 영화도 보고 음악도 들어야지!' 라는 소망을 갖게 되었습니다. 하지만 나이가 한 살 한 살 들어가며 현실과 마주하다 보니 그렇게 꾸미려면 얼마나 많은 시간과 비용이 필요한지 알게 되었습니다. 더구나 나만의 서재를 가질 수 있는 너른 집에 산다는 것도 쉬운 일이 아니라는 것이라는 깨닫게 되었습니다.

제가 학창시절을 보낸 1990년대만 해도 아날로그와 디지털 매체가 공존하던 시기였습니다. 저같이 주머니 사정이 얇은 당시 학생들은 녹음기와 라디오가 같이 되는 카세트 플레이어에 공空 테이프를 꽂아두었다가 좋아하는 음악이 라디오에서 나올 때 잽싸게 녹음을 해야 했습니다. 그래야 나중에 듣고 싶을 때 그 음악을 다시 들을 수 있으니까요. 공 테이프가 없으면 기존에 집에 있는 카세트테이프 위쪽 홈 두 개를 투명 테이프로 막으면, 다시 녹음 돼서 재활용도 가능했습니다. 카세트는 CD와 달리 내가 듣기 원하는 곳을 찾으려면 테이프를 되감거나 앞으로 돌려야 했어요. 테이프가 돌아가는 그 시간이 길게 느껴질 때도 잦았습니다. 원하는 부분에 맞추려면 정지, 되감기, 재생 버튼을 수차례 반복해서 눌러야 했어요. 아날로그 시대에는 생활 곳곳에 기다림이 필요했습니다.

시간이 흘러 자연스레 찾아온 21세기. 인터넷 대중화 시대가 시작됐습니다. 예전엔 부러움의 대상이었던 수많은 LP와 CD, 비디오테이프 까지도 인터넷만 접속되는 곳이라면 어디서든지 만날 수 있게 된 것입니다. 전에는 원하는 곡의 이름이 무엇인지 알아야 했고 그것을 재생할 수 있는 시스템이 갖추어 져야 문화생활이 가능했지만 이젠 곡명만 알고 있다면 바로 찾아서 들을 수 있는 세상이 된 것이죠. 2010년대에 들어서는 스마트 폰의 대중화도 시작되어 서재 한 채를 핸드폰 안에 다 넣은 것 같은 느낌이 들었습니다. 이젠 전영록 아저씨와 같은 멋진 서재를 가지지 못하더라도 누구나 소박하게 어느 정도의 꿈은 이룰 수 있게 된 것입니다.

이제 오래된 나의 일기장에 쌓인 먼지를 털어내고, 오랜만에 첫 페이지를 열어 제가 사랑했던 영화음악들을 소개해 드리려 합니다. 다만 직접 찾아서 들어야 한다는 불편함은 있어요. 그래도 곡명만 알면 공유할 수 있다니 정말 좋습니다. 어떻게 이야기해 드려야 할까 고민 끝에 아래와 같은 나름의 원칙을 가지고 선곡하고 배열했습니다.

1. 소개해 드리는 곡과 그 곡이 수록된 영화의 명성을 떠나 과거에도 좋았고, 지금도 여전히 좋으며, 앞으로도 그러할 것 같은 곡만 선정한다.

2. 영화를 감상하지 못한 상태에서 들어도 좋아야 한다.

3. 배열은 국내 개봉(TV 방영) 일자와 계절 순으로 하고, 연도가 빠른 순으로 정렬한다.

책을 쓸 때 지금의 제가 아닌 그 영화음악을 사랑했던 당시 10~20대의 마음으로 전하려고 노력했습니다. 예전의 나를 떠올려 그 느낌을 적으려니 조금은 낯설기도 했어요. 기억의 검증을 위해 좋아했던 음악들을 여러 차례 다시 듣기를 반복했습니다. 그러다 보면 영화잡지 '로드쇼'와 '스크린'을 좋아했던 까까머리 학생으로 돌아가는 것만 같았어요.

21세기에 태어나신 분들에게는 이제 '고전'이란 이름으로 불러도 될 만한 영화음악과 만나며 시대를 넘나드는 즐거움을, 기성세대에게는 추억과 따스함을 선물해 드리고 싶습니다. 그럼 이제 영화음악 이야기의 첫 페이지를 넘겨 보겠습니다.

음악감상을 위해 온라인 검색할 때 곡명과 음악가를 함께
원어로 찾으시면 더욱 빠르고 정확하게 확인하실 수 있습니다.
[예시: Cavatina Stanley Myers]

오랜 친구가 필요한 당신,

그리고 나의 딸에게

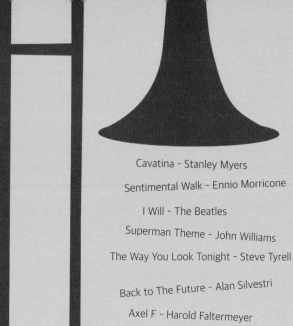

Cavatina - Stanley Myers

Sentimental Walk - Ennio Morricone

I Will - The Beatles

Superman Theme - John Williams

The Way You Look Tonight - Steve Tyrell

Back to The Future - Alan Silvestri

Axel F - Harold Faltermeyer

Easy Winners - Scott Joplin

His Morning Promenade - Charlie Chaplin

The Magnificient 7 - Elmer Bernstein

영화, 드라마와 비교하면 오락, 예능, 교양프로그램은 상대적으로 짧은 시간에 완성되는 편입니다. 그래서 자연히 쓰이는 배경음악은 그 프로그램을 위해 따로 음악을 만드는 경우는 많지 않은데요. 이유는 당연히 제작비도 줄이고 단시간에 시청자들의 공감을 유도하여, 프로그램에 몰입하게 만들어야 하기 때문이죠. 그래서 방송 프로그램에 이미 검증이 끝난 음악을 사용하는 경우가 상당히 많이 있습니다.

거기에 현재 30~40대 연령층이 음악 감독으로 자리를 잡으면서, 20세기 영화음악을 사용하는 경우가 자주 있습니다. 그래서 귀를 잘 기울이면 유명 영화음악을 비록 아주 짧은 시간이지만 매일매일 만날 수 있어요. 어디서 분명히 들은 적이 있고, 익히 알고 있는 음악, 대중매체를 통해 자주 만날 수 있었던 곡들 가운데에서 10곡을 뽑아 봤습니다.

방송에선 아무리 길어야 20초 이내로 들으셨을 텐데요. 들으시다 마음을 움직이게 했다면, 곡 전체를 천천히 감상하면서 오늘의 스트레스를 날리는 시간이 되셨으면 좋겠습니다.

디어 헌터 (The Deer Hunter, 1978)
1979년 3월 3일 토요일 개봉, 미국

 Cavatina(1970) – 스탠리 마이어스(Stanley Myers)

우리나라에서 개봉한 연도순으로 정렬하고 이를 다시 계절 순서로 곡을 배치했기 때문에 앞으로도 3월이나 봄에 개봉한 영화가 제일 앞에 올 것입니다. 첫 번째 만나 볼 곡은 아직은 겨울의 기운이 살짝 남아 있는 3월 3일에 개봉한 영화입니다. 바로 마이클 치미노Michael Cimino 감독의 거의 유일한 흥행작이면서 동시에 최고의 찬사를 받아 온 〈디어 헌터〉입니다. 영화의 배경은 베트남 전쟁입니다. 전쟁은 끝났지만, 그 상처에서 벗어나지 못하는 젊은이들의 이야기예요. 우리 주변에서도 전에는 많이 찾아볼 수 있었던, 국가와 사회가 보듬어 주지 못했던 바로 그분들의 이야기입니다.

영화를 보고 러시안룰렛이라는 무서운 게임에 대해 처음 알게 되었습니다. 저는 고등학생 때 〈디어 헌터〉를 처음 봤습니다. 당시에는 영화 중간, 중간 지루하다는 생각이 들었고, 평론가들은 왜 이 영화에 찬사를 보냈는지, 또 영화의 제목이 되는 사슴사냥 장면은 왜 들어갔는지 잘 이해가 되지 않았습니다.

전쟁을 경험하기 전에는 살아있는 생명을 총으로 쏘아 사냥하는 것이 하나의 놀이며 오락거리 중 하나가 될 수 있었을 겁니다. 젊은 사내라면 그 호기로움을 친구들에게 자랑도 하고 싶고, 백발백중의 총술을 뽐내고 싶은 욕심도 있었을 것입니다. 하지만 사람이 사람을 죽여야만 하는 참혹한 전장에서 살아 돌아온 후 다시 찾은 사냥터. 살아있는 생명을 향해 왜 방아쇠를 당길 수 없었는지 고등학생일 때에는 그 이유를 깊이 헤아릴 수 없었습니다.

너무나도 유명한 'Cavatina'는 스탠리 마이어스의 곡입니다. 원래는 영국드라마 'Walking Stick(1970)'에 삽입된 곡이었지만, 이를 호주 출신의 클래식 기타리스트 존 윌리엄스John Williams와 함께 기타연주에 맞게 편곡하여 디어 헌터에 사운드트랙에 실었습니다. 시간이 흘러도 여전히 편안하게 마음을 정리하면서 듣기엔 그만인 곡입니다.

앞으로도 마무리는 주제와 연관된 곡을 추가로 소개해 드리려고 합니다. 사람은 흥미로운 일이 생기면 그 세계를 확장해 나가려 하죠. 음악이 마음을 움직였다면 그 작곡가나 영화와 연관된 다른 음악이 분명 궁금해지리라 생각 들었어요. 추가로 소개해 드리는 곡이 본문으로 소개해 드리는 곡 못지않게 좋다는 느낌이 들 수 있도록 나름 심혈을 많이 기울여 골랐습니다. 다만 추가로 추천해 드리는 곡은 시대와 범주를 한정 짓지 않았습니다. 20세기의 좋은 곡들이 결국 21세기에도 영향을 주어 흘러왔음을 보여드리고 싶은 마음도 컸기 때문입니다.

Cavatina의 클래식 기타연주가 감동을 주었다면 영화 〈용서받지 못한 자The Unforgiven, 1993〉 중에서 클린트 이스트우드Clint Eastwood의 'Claudia's Theme(1993)'도 함께 감상해 보세요. 멋진 기타연주가 계속 여운에 남으실 겁니다.

가자 니키, 집에 가자. 그만 집에 가는 거야.

러브 어페어 (Love Affair, 1994)
1995년 3월 11일 토요일 개봉, 미국

 Sentimental Walk(1994) - 엔니오 모리꼬네(Ennio Morricone)

엠파이어 스테이트 빌딩, 운명 같은 만남 그리고 아름다운 음악... 러브 어페어를 생각하면 가장 먼저 떠오르는 단어들입니다. 지금도 그렇지만 엠파이어 스테이트 빌딩은 영화나 방송에서 참 많이 보아왔습니다. 그래서 그런지 가보진 못했어도 가본 것만 같은 친숙한 곳입니다. 〈잊지 못할 사랑An Affair To Remember, 1957〉을 리메이크한 이 작품은 전작의 분위기와 느낌, 큰 줄거리는 거의 그대로 원작을 따랐지만, 조금 더 세련되고 자연스러운 느낌으로 제작됐습니다.

실제로 할리우드 스타 부부인 워렌 비티Warren Beatty와 아네트 베닝Annette Bening이 주연을 맡아 1957년 작의 두 주연 배우 캐리 그랜트Cary Grant, 데보라 카Deborah Kerr의 명성과 맞먹는 연기 호흡을 보여주었어요. 원작과 리메이크 버전 모두 재미면에선 검증이 끝난 영화입니다. 하지만 1994년 작품이 전작보다 큰 사랑을 받은 데는 이탈리아 영화음악의 거장 엔니오 모리꼬네의 음악이 큰 역할을 하였습니다.

소개해 드릴 'Sentimental Walk'은 같은 사운드트랙에 실려 있는 'Piano Solo'의 오케스트라 버전의 곡이에요. 차이점은 Piano Solo의 주인공이 피아노라면 Sentimental Walk는 강렬한 현악기라고 하겠습니다. 물론 멜로디는 피아노가 이끌어 가지만 바이올린, 비올라의 굉장한 힘이 느껴지는 곡입니다. 평온한 아침이나 아무 생각 없이 차 한 잔 곁에 놔두고 편안히 감상하기에 더없이 좋은 곡입니다.

영화를 본 분이시라면 이 곡을 듣고 두 주연 배우와 함께 출연한 명배우 캐서린 헵번Katharine Hepburn의 얼굴도 함께 떠오를 것이고, 두 배우가 산책하며 마주 보고 미소 짓는 장면도 생각날 것입니다. 예전에는 CF나 TV 프로그램에서 더 자주 들을 수 있었는데, 이제는 그 빈도가 줄었어요. 그래도 여전히 사랑받는 아름다운 곡입니다. 엔니오 모리꼬네는 이젠 고인이 되셨기 때문에 더는 그의 음악을 만날 수 없다는 것이 아쉬움으로 남습니다. 일생을 영화음악과 함께했음에도 틀 안에 갇혀 있지 않고, 변화하는 시장의 흐름에도 뒤처지지 않게 시대와 세대를 잇는 음악을 만든 대단한 인물이죠.

이 곡이 마음에 닿으셨다면 많은 분이 인생 영화로 꼽는 〈시네마 천국Cinema Paradiso, 1988〉중에서 엔니오 모리꼬네의 'Childhood and Manhood(1988)'도 함께 감상해 보세요.

· I Will(1968) – 비틀즈(The Beatles)

세 번째 곡은 같은 영화 중에서 한 곡을 더 골랐습니다. 극 후반부, 울긋불긋하게 낙엽 진 가을 풍경을 배경으로 아네트 베닝이 등장한 그 장면에서 이 곡이 흘러서인지 봄에 개봉했음에도 영화는 왠지 늦가을 밤과 더 잘 어울리는 것 같습니다. 이 곡은 설명이 필요 없는 영국의 4인조 밴드 '비틀즈'의 9번째 앨범에 실려 있는 곡입니다. 9집 앨범은 디자인이 흰색 바탕으로 되어 있어 일명 'White Album'이라는 별칭도 가지고 있는데요. 우리 귀에 익숙한 'Ob-La-Di, Ob-La-Da', 'Blackbird'와 같은 곡들이 함께 실려 있습니다.

팀 해체가 1970년이니까 1968년에 나온 이 앨범은 팀 활동 후반기에 해당하겠습니다. 곡을 들어보면 왜 비틀즈인지 금세 알 수 있습니다. 지금 들어도 전혀 손색이 없는 편안한 멜로디, 단순하지만 아름다운 노랫말. 감독을 맡은 글랜 고든 캐론Glenn Gordon Caron이 이 곡을 선곡하였는지 아니면 음악 감독인 엔니오 모리꼬네가 하였는지는 알 수 없지만, 오랫동안 영화의 장면과 함께 기억에 남아 있을 명곡입니다.

1980년대에 미국 드라마를 좀 보신 분이라면 〈블루문 특급 Moonlighting, 1985〉, 〈레밍턴 스틸Remington Steele, 1982〉을 분명히 기억하실 겁니다. 그 각본들도 이 영화의 감독인 글랜 고든 캐론이 담당했습니다. 생각해 보면 이 영화에 레밍턴 스틸의 주연배우 피어스 브로스넌Pierce Brosnan이 출연한 건 우연이 아닙니다. 다시 I Will로 돌아가 보겠습니다. 작사와 작곡은 비틀즈 멤버 중

가장 인기 많았던 두 사람 존 레논John Lennon, 폴 매카트니Paul McCartney가 하였습니다.

Who knows how long I have loved you
당신을 얼마나 오랫동안 마음에 두었는지 아무도 모를 거예요
You know I love you still
지금도 사랑하고 있다는 걸 당신은 알고 있죠
Will I wait a lonely lifetime
평생을 외로이 기다려야 하나요?
If you want me to I will
당신이 원한다면 그렇게 하겠어요

For if I ever saw you I didn't catch your name
당신을 만나게 됐더라도 당신의 이름을 알아채지 못했을 거예요
But it never really mattered
하지만 그건 전혀 문제가 되지 않죠
I will always feel the same
내 마음은 언제나 그대로 일 테니까요

Love you forever and forever love you with all my heart
내 모든 마음을 담아 언제나 당신을 사랑할게요.
Love you whenever we're together love you when we're apart.
당신을 사랑합니다. 함께 있을 때도 그렇지 않을 때도

연주곡Score이 아니라 가사가 있는 노래의 경우 앞으로도 가사의 전문은 싣지 못해도 일부분을 발췌하여 나름의 번역을 붙여보려 합니다. 서툰 부분도 있겠지만, 우리말로 읽었을 때 작사가가 전하고자 하는 느낌을 전할 수 있도록 최대한 노력해보겠습니다. 단 영어일 경우에 한하겠습니다. 'I Will'로 비틀즈의 감성이 덜 채워졌다면 역시 많은 사랑을 받은 'In My Life(1965)'도 함께 감상해 보세요.

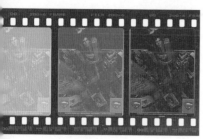

슈퍼맨 (Superman, 1978)
1979년 3월 31일 토요일 개봉, 미국

Superman Theme(1978) - 존 윌리엄스(John Williams)

   수줍음 많은 두 친구가 있습니다. 집안 사정이 여의치 않아 학교에 다니면서도 일을 해야만 했습니다. 그래도 그 친구들은 남들과 다른 상상력을 공유하면서 우정을 쌓아갔습니다. 한 친구는 그림 그리는 데에 재주가 있었고 다른 한 친구는 글짓기에 재주가 있었어요. 바로 슈퍼맨의 공동원작자 조 슈스터Joe Shuster와 제리 시겔Jerry Siegel의 이야기입니다. 이 두 사람은 고교 동창입니다. 의기투합하여 슈퍼맨이라는 엄청난 캐릭터를 세상에 내놓아 세계적으로 명성을 날립니다. 그러나 정작 그들에게 돌아간 것은 별로 없었는데요. 이유는 재주는 곰이 부렸으나, 돈 버는 사람은 따로 있었기 때문이죠. 당시에는 만화책 캐릭터 저작권을 출판사에 넘기는 게 관례였다고 합니다. 하여 디텍티브 코믹스 (DC)측은 대박이 났지만, 원작자인 이들은 한동안 원작자 대접도 못 받으며 출판사에 비해 상대적으로 홀대받아 온 것입니다.

1946년부터 1948년까지 큰돈을 들여 소송에 힘을 쓰느라 가세도 기울었고, 소속된 회사에 소송한 대가로 직장도 잃었습니다. 큰 꿈을 가지고 시작했지만, 노력에 대한 충분한 대우를 받지 못했을 때 얼마나 마음이 슬펐을까요? 더구나 조 슈스터는 눈병까지 얻어 시력도 좋지 않게 되었다 합니다. 1975년 저작권 회수를 위해 마지막으로 소송해 보지만 대기업을 상대로 큰 승리를 얻는다는 건 예나 지금이나 쉬운 일이 아닙니다. 역시나 DC의 승리로 재판이 끝나면서 전 세계인으로부터 사랑받은 슈퍼맨(1938)의 원작자라는 명성과는 걸맞지 않게 조용히 삶을 마치게 됩니다.

이 두 친구는 아마도 만화 속 주인공인 클라크 켄트처럼 평상시에는 다소 수줍음이 있고 직장에서는 상사한테 치이는 보통사람이지만, 사랑하는 사람이 어려움에 처할 때나 정의에 반하는 불의의 세력 앞에서는 초인적인 힘을 내고 싶었을 것입니다. 하늘을 쌩하고 날아 위기에서 사람들을 구해 낼 수도 있고, 어떤 어려움에도 아무리 강한 악당들과도 맞설 수 있는 그런 멋있는 남자, 듬직한 아빠의 모습을 상상하며 캐릭터를 구상하였을 것 같습니다. 슈퍼맨이 눈에서 쏘는 붉은 레이저 광선은 마치 평생 눈병으로 고생하면서 만화를 그려 낸 조 슈스터가 사랑하는 사람들을 지키기 위해 불의를 향해 쏘는 빔처럼 느껴집니다.

음악은 미국의 대표적인 영화음악가 존 윌리엄스가 작곡하였습니다. 스티븐 스필버그 감독과 함께 작업하면서 클래시컬한 영화음악으로 많은 사랑을 받아 왔고 지금까지 고령임에도 불구하고 현역으로 활동하고 있어 그 명성을 스스로 증명해내고 있죠. 그가 작곡한 슈퍼맨 메인테마를 두 원작자를 생각하면서 한번 들어봅시다. 평범한 나 자신에서 슈퍼맨으로 변신한 뒤, 주먹 쥔 한 손을 들어 어두운 내 삶을 뚫고 하늘 높이 날아가는 듯한 전주가 들려옵니다. 중, 후반으로 갈수록 사랑하는 사람들을 위해 악당과 어려움 앞에서도 굴하지 않은 모습이 오케스트라의 힘찬 연주로 귀에 꽉 차게 전해지는 것 같습니다.

슈퍼맨 역을 맡은 크리스토퍼 리브Christopher Reeve는 원작만화의 캐릭터를 쏙 빼닮은 외모로 주연에 발탁되었고 많은 사랑도 받았습니다. 하지만 안타깝게도 1995년 낙마 사고로 인해 얼굴 이하가 모두 마비되는 장애를 얻었고 2004년 결국 세상을 떠나게 됩니다. 그를 간호해오던 부인도 2006년 세상을 떠납니다. 혼자 남게 된 아들을 대학 시절 친구인 유명배우 로빈 윌리엄스Robin Williams가 입양해서 키운 우정의 일화도 상당히 유명합니다.

존 윌리엄스의 곡이 더 듣고 싶어지셨다면 두 곡을 더 소개해 드리려 합니다. 로빈 윌리엄스가 피터 팬Peter Pan역을 맡았던 〈후크Hook, 1991〉 중에서 'Prologue(1991)'를 들어보겠습니다. 짧은 곡 안에 존 윌리엄스가 자주 쓰는 기교와 느낌이 전부 녹아 들어가 있는 것 같습니다. 다 듣고 나면 '내가 존 윌리엄스다!' 라고 이야기하고 있는 느낌이 들어요. 그리고 또 다른 곡을 하나 더 들어보겠습니다. 존 윌리엄스는 미국에서 열린 1984년 로스 엔젤레스, 1996년 아틀란타 하계올림픽, 2002년 솔트레이크 동계올림픽의 음악을 맡았었는데요. 그중에서 1984년 LA 올림픽 주제곡

‘Olympic Fanfare and Theme(1984)’도 함께 감상해 보세요.

내 마음을 읽을 수 있나요?

신부와 아버지 (Father of The Bride, 1991)
1992년 4월 25일 토요일 개봉, 미국

 The Way You Look Tonight(1936) - 스티브 타이렐(Steve Tyrell)

　영화의 주연배우인 스티브 마틴Steve Martin은 늘 편안한 웃음을 주었던 코미디 배우라 그런지 그 이름을 들으면 왠지 모르게 친근한 느낌이 듭니다. 생각해보니 제가 처음 봤을 때부터 흰머리였는데 머리부터 먼저 노화가 조금 빨리 찾아왔나 봅니다. 얼굴은 늘 밝은 표정의 동안이었던 것 같아요. 오랜만에 다시 포스터를 봤는데, 역시 스티브 마틴은 명배우라는 생각이 듭니다. 딸이 결혼해서 흐뭇하면서도 마음 한구석에 남아있는 서운한 감정을 표정 하나에 참 잘 담아냈습니다.

　영화는 동명의 1950년 작품을 리메이크한 영화입니다. 제목은 개봉 당시 제목인 '신부와 아버지'로 적었습니다. 원작에선 딸 역할로 20세기 할리우드 최고의 미녀 배우 중 한 명으로 꼽히는 엘리자베스 테일러Elizabeth Tyler가 맡았습니다. 이 영화에선 원작의 공주님과 같은 엘리자베스 테일러의 모습과는 살짝 다른 느낌의 배우를 캐스팅하는데요. 싱그럽고 사랑스러운 분위기의 당시 신예 배우 킴벌리 윌리엄스Kimberly Williams가 딸 역할을 맡았습니다. 하지만 아쉽게도 신부와 아버지 시리즈 이후에 큰 주목은 받지는 못했어요.

대학을 졸업하자마자 3개월 사귄 남자친구와 결혼하겠다고 선언하는 딸을 보고 걱정하지 않는 부모님이 세상에 있을까요? 이를 두고 벌어지는 갈등과 결혼까지의 과정을 구김살 없는 잔잔한 재미로 풀어나갑니다. 영화에는 지금도 머릿속에 남아 있는 두 장면이 있습니다. 어느 날 아버지는 마당에 놓여 있는 농구공을 보면서 딸을 놀아주던 옛 기억을 떠올립니다. 함께 농구를 하며 공을 주고받던 기억 속의 소녀는 학생이 되고, 그 학생이 여인이 되어 공을 주고받습니다. 짧은 시간 안에 쑥 지나가는 회상장면인데요. 이때 템테이션스Temptations의 'My Girl(1965)'이 배경음악으로 흘러나옵니다.

그리고 두 번째가 바로 지금 소개해 드리는 'The Way You Look Tonight'이 흐르는 마지막 장면입니다. 결혼식도 피로연도 모두 끝난 집에는 아버지, 어머니만 남습니다. 그때 스티브 마틴이 아내역을 맡은 다이앤 키튼Diane Keaton의 손을 잡고 어두운 밤, 집안에서 불도 켜지 않은 채 함께 춤을 추죠. 조금 오래된 영화, 특히 오드리 헵번을 좋아하시는 분들이라면 프레드 아스테어Fred Astaire를 기억하실 겁니다. 저도 화니 페이스Funny Face, 1957에서 본 기억이 나는데요. 원래 이 곡은 그가 출연했던 영화 〈스윙 타임Swing Time, 1936〉의 주제가입니다. 이 곡으로 아카데미 주제가상도 받았습니다. 곡의 나이가 여든을 넘겼음에도 불구하고 프랭크 시나트라Frank Sinatra, 토니 베넷Tony Bennett 등 여러 유명 가수들의 리메이크를 거듭하면서 꾸준한 사랑을 받아 온 대단한 곡이에요. 영화에서는 미국의 재즈 가수 스티브 타이렐 버전이 실렸는데, 극의 분위기가 정말 잘 어우러집니다.

Someday when I'm awfully low

마음이 서글퍼지는 어떤 날에도

When the world is cold

세상이 내게 냉랭히 다가올지라도

I will feel a glow just thinking of you

난 그저 당신 생각을 하며 한 줄기 빛을 느낄 것입니다

And the way you look tonight

오늘 밤 당신의 모습을 떠올리면서 말이죠

Oh, but you're lovely with your smile so warm

당신의 따뜻한 미소가 정말 사랑스럽습니다

And your cheeks so soft

당신의 보드란 두 뺨도 그러합니다

There is nothing for me but to love you

당신을 사랑할 수밖에 없습니다

Just the way you look tonight

오늘 밤 당신의 그 모습을요

With each word Your tenderness grows

말 한마디에 당신의 다정함이 자라나고

Tearing my fear apart

나의 두려움도 멀리멀리 사라져 갑니다

And that laugh that wrinkles your nose touches my foolish heart

코를 찡그리며 웃는 당신의 미소는 나의 어리석은 마음을 위로해주지요

Lovely, never never change. Keep that breathless charm

사랑스러운 그 모습 변하지 말아요. 숨을 멎게 만드는 그 매력 계속 간직해 주세요

Won't you please arrange it

그렇게 해줄 수 있죠?

'Cause I love you, Just the way you look,

Just the way you look tonight.

오늘 밤 당신을, 그 모습 그대로를 사랑하니까요

이 곡이 와 닿으셨다면 〈사랑할 때 버려야 할 아까운 것들Something's Gotta Give, 2004〉에 삽입되었던 스티브 타이렐의 'I've Got a Crush On You(1930)'도 함께 들어보세요.

그 모습 그대로를 사랑하니까요.

빽 투 더 퓨쳐 (Back to The Future, 1985)
1987년 7월 17일 금요일 개봉, 미국

Back to The Future(1985) - 앨런 실베스트리(Alan Silvestri)

극작가 밥 게일Bob Gale은 어느 날 우연히 아버지 졸업앨범을 보게 됩니다. 오래된 사진 속 어린 아버지를 보면서 이런 생각을 합니다. '내가 아버지랑 친구 사이였다면 어땠을까?' 이 질문으로 시작해 완성한 시나리오가 〈빽 투 더 퓨쳐〉가 된다는 건 잘 알려진 이야기죠. 이 영화는 표면적으로는 SF 장르를 취하고 있지만, 속에는 세대 공감을 다루고 있는 영화입니다. 또래 친구들의 마음을 헤아리기 어려울 때도 있는데, 세대 차이를 넘어 다른 사람을 이해한다는 것은 쉬운 일은 아닙니다. 기성세대는 과거의 자신을 떠올리며 새로운 세대의 마음을 이해해보려 노력 하겠지만, 그 역시 오래되어 기억이 선명치 않거나 왜곡돼는 경우가 있습니다. 그 반대로 지금 새로운 세대가 기성세대를 이해하려면 아직 살아보지 않았으므로 간접체험에 기대는 방법 말고는 없을 것 같습니다. 영화에선 주인공이 직접 과거로 날아가 부모님과 그 세대를 함께 경험합니다. 이 영화같은 내용이 실제로 일어난다면 미래로 다시 돌아왔을 때, 부모님을 대하면 그 느낌이 새로울 것 같습니다.

극 중에는 타임머신으로 멋진 자동차가 한 대 등장합니다. 바로 그 유명한 '드로리안 DMC DeLorean DMC'입니다. 드로리안은 영화에선 정말 멋지게 나오지만, 자동차 자체로선 기능이 떨어지는 차로 유명합니다. 연비도 6Km/L이고 판매량도 시원치 않아 금세 생산을 접었다고 해요. 하지만 영화의 인기와 희소성 때문에 자동차 수집가 사이에선 보물 같은 존재라 하는군요. 시간여행을 하며 벌어지는 모험 이야기는 허버트 조지 웰스Herbert George Wells의 소설 '타임머신(1895)'에도 등장합니다. 이 소설이 시간여행의 원조 격인데요. 이처럼 개봉 당시에도 타임머신은 오래된 소재지만 영화는 많은 이들의 공감을 끌어내며 대성공했고,

저 역시도 1편을 10번이나 봤어요.

음악은 앨런 실베스트리가 담당하였습니다. 원래도 영화음악 가로서 큰 인물이었지만 근래에는 마블의 히어로 영화 〈어벤져스The Avengers, 2012〉 메인테마가 시리즈의 인기와 함께 각종 방송 프로그램에 자주 등장하면서 많은 세대를 아울러 인지도가 더 높아졌습니다. 소개해 드리는 곡은 메인테마인 'Back to The Future'입니다. 오케스트라 연주로 웅장하게 시작하는 메인테마는 영화를 보신 분들이라면 음악만 들어도 천둥이 치는 1955년 두 주연 배우인 마이클 J. 폭스Michael J. Fox와 크리스토퍼 로이드 Christopher Lloyd가 미래로 돌아가기 위해 애쓰는 모습을 보는 것만 같으실 겁니다.

앨런 실베스트리의 곡이 한 곡 더 듣고 싶어지셨다면 이 영화를 연출한 로버트 저메키스 감독과 작업한 첫 번째 영화 〈로맨싱 스톤Romancing The Stone, 1984〉 중에서 'End Titles(1984)'도 놓치지 마세요.

도로는 필요 없어!

비버리 힐스 캅 (Beverly Hills Cop, 1984)
1985년 9월 28일 토요일 개봉, 미국

Axel F(1984) - 해롤드 팰터마이어(Harold Faltermeyer)

    도입부가 아주 익숙한 이 곡. Axel F. 영화 속 주인공 엑셀 폴리 Axel Foley를 따서 명명한 것 같은데, 작곡가는 애초에 '바나나 테마' 라고 부르려 했다고 합니다. 영화를 보면 엑셀 폴리역의 에디 머피Eddie Murphy가 추격을 따돌리기 위해 자동차 배기구에 바나나를 넣는 장면이 있는데요. 여기에 쓰려고 만들었기 때문이라 해요. 맨 처음 엑셀 폴리 역에는 당대 최고의 섹시가이 중 한 명이었던 미키 루크Mickey Rourke가 낙점되어 계약까지 해놓은 상태였습니다. 하지만 영화제작이 늦어지면서 도중하차 하였고, 대신에 근육질 스타 실베스터 스탤론Sylvester Stallone이 그 뒤 후보로 올랐었죠. 그러나 이 분 역시도 제작사인 파라마운트사와 의견 조율실패로 다시 주연 자리가 공석이 되었어요. 비슷한 류의 버디 무비Buddy Film : 두 명의 남자 배우 콤비가 위기를 해결해 나가는 내용의 영화 〈48시간48 Hrs., 1982〉에서 좋은 연기를 보여줬던 에디 머피가 결국 주인공 엑셀 폴리 역으로 캐스팅되었습니다. 만일 앞선 두 배우가 출연했다면 코믹한 재간둥이이자 정의의 형사 엑셀 폴리와는 전혀 다른 느낌으로 연기했을 것 같습니다.

이 시리즈는 무려 4편까지 나왔어요. 모든 시리즈물이 그렇듯이 1편이 잘되었기 때문에 가능한 일이었습니다. 1편의 흥행은 음악을 맡은 해롤드 팰터마이어의 역할도 컸다고 생각합니다. 독일 태생으로 피아노와 트럼펫을 전공한 음악가였는데 그의 연주 실력이 일렉트로니카의 대가 조르지오 모로더Giorgio Moroder의 눈에 띄면서 인생의 커브가 변하기 시작합니다. 독일에 있던 그를 미국으로 불러들여 함께 많은 작업 하면서 'Hot Stuff(1979)'로 유명한 도나 섬머Donna Summer의 여러 앨범에 참여하는 등 가요계에서도 영화음악에서도 그의 이름이 세상에 알려지기 시작합니다. Axel F는 지금 들어도 여전히 신납니다. 역시 좋은 곡은 유행을 타지 않는 것 같아요.

　사운드트랙에는 해롤드 팰터마이어의 다른 곡 'The Heat Is On(1984)'도 수록되어 있는데 이 곡은 전설적인 밴드 이글스Ea-gles의 멤버인 글렌 프라이Glenn Frey가 불러서 빌보드(Billboard Hot 100, 이하 빌보드) 차트 2위까지 올려놓습니다. 함께 감상하신다면 좋으실 것 같습니다.

이제껏 타본 경찰차 중에 가장 깨끗하고 좋은 차에요.

스팅 (The Sting, 1973)
1978년 11월 4일 토요일 개봉, 미국

Easy Winners(1901) - 스콧 조플린(Scott Joplin)

    100살이 넘은 곡이 등장했습니다. 우리나라에 임금님이 계시던 시절인 20세기 초, 1901년의 음악을 들을 수 있다는 건 멋진 기회입니다. 흑인 재즈 피아노 음악의 한 장르로 알려진 래그타임 Ragtime 피아니스트 '스콧 조플린', 1917년 그가 세상을 떠난 지 수십 년이 지나 그의 음악 2곡이 천재작곡가 마빈 햄리시Marvin Hamlisch에 의해 재발견 되면서 다시 한 번 스콧 조플린의 음악이 세상의 주목을 받았습니다. 마빈 햄리시는 일생에 한 번 받기도 힘든 아카데미상, 골든글로브상, 에미상, 토니상, 그래미상, 퓰리처상을 모두 수상한 대단한 인물이죠.[Pulitzer Prize, Emmy,

Grammy, Oscar, Tony Awards의 앞자를 따서 'PEGOT'이라고
도 합니다. 현재는 작곡가 리처드 로저스Richard Rodgers와 더불
어 2명 뿐입니다.]

〈스팅〉은 〈내일을 향해 쏴라(1969)〉의 두 콤비 폴 뉴먼Paul
Newman, 로버트 레드포드Robert Redford를 다시 만날 수 있는 영
화입니다. 이 캐스팅이 가능했던 이유는 두 영화 모두 조지 로이
힐George Roy Hill 감독이 맡았기 때문일 것입니다. 〈내일을 향해
쏴라〉가 너무 재미있어서 TV로 처음 봤던 초등학생 시절 숨도 안
쉬고 봤던 기억이 제게도 있습니다. 스팅이란 영화를 알게 되었
을 때 두 배우를 다시 볼 수 있어서 무척이나 반가웠어요.

소개해 드리는 'Easy Winners'는 지금은 좀 듣기 힘든 곡이 되
었습니다. 1980년대 후반에 대학생판 장학퀴즈인 '퀴즈 아카데
미'란 TV 프로그램이 있었어요. 참가자가 대학생인 만큼 문제도
수준이 좀 있었어요. 그 프로그램 시그널 음악이 Easy Winners
여서 매주 듣고 프로그램도 즐겨 보곤 했었어요. 저에겐 어려운
문제들을 대학생 형, 누나들이 맞힐 때마다 '어떻게 저렇게 똑똑

할까?' 하고 감탄을 했습니다. 저와 같은 기억을 갖고 계신 분도 계실 것 같아요.

 1974년 46회 아카데미 시상식에서 음악상은 스팅의 마빈 햄리시가 수상하게 되는데요. 원곡자인 스콧 조플린이 봤다면 참으로 흐뭇했을 것 같습니다. 이 곡이 마음에 와 닿으셨다면 영화 〈스팅〉에서 가장 유명한 곡인 스콧 조플린의 'The Entertainer(1902)'도 함께 감상해 봅시다. TV 프로그램과 광고에서 많이 나왔기 때문에 아주 익숙하게 다가올 겁니다.

친구는 속이는 게 아니야.

키드 (The Kid, 1921)
1989년 12월 15일 금요일 개봉, 프랑스

His Morning Promenade(1921) - 찰리 채플린(Charlie Chaplin)

　과거에 언론에서 쿠건 법Coogan Act에 대해 몇 차례 언급된 적

이 있었습니다. '쿠건 법'은 미국에서 1939년에 제정된 아역배

우 보호법인데요. 아역배우가 벌어들인 수입의 15%를 신탁관리

를 통해 성인이 될 때까지 부모 마음대로 쓰지 못하도록 한 내용

이 골자입니다. 이 법이 만들어진 계기가 바로 영화 키드 때문인

데요. 당시 아역배우인 재키 쿠건Jackie Coogan은 영화를 통해 엄

청난 인기를 얻었습니다. 400만 불 수입을 벌어들였다는데 이게

지금 가치 기준인지 당시 기준인지를 모르겠지만 지금 기준으로

해도 어마어마한 돈입니다. 여하튼, 이 수입을 그의 부모가 모두

탕진해서 소송전이 벌어졌고 재판에 필요한 비용을 대느라 그 많던 돈이 모두 날아가게 됩니다. 우리나라에서 이 말이 나오게 된 건 아이를 내세워 동영상을 제작해 벌어들인 수입이 늘어나면서, 출연한 아이들이 보상 없이 혹사당하는 것이 아니냐는 우려가 나오면서부터입니다.

 서두가 좀 길었습니다. 재키 쿠건, 명성 그대로 영화에서 빼어난 연기력과 흡입력을 보여줍니다. 세계 최초의 아역 영화배우라는 수식어도 따라 다닐 만합니다. 내용도 100년이 지난 흑백영화에다 무성영화임에도 불구하고 상당히 재미있습니다. 그런 이유에는 재키 쿠건의 연기도 한몫했지만, 코미디 배우의 전설 찰리 채플린이 있었기에 가능한 것 같습니다. 〈키드〉는 채플린이 주연과 감독을 맡은 첫 번째 장편영화입니다. 그래서 많은 애착과 심혈을 기울였을 것 같습니다. 그의 영화에서 늘 등장하는 컨셉인 부랑자(Tramp)와 조연인 꼬맹이(Kid)의 연기 호흡이 웃음과 함께 잘 버무려질 때 소개해 드리는 곡인 'His Morning Promenade'도 그 흥겨움에 가세합니다.
 작곡자는 채플린으로 알려졌는데요. 멜로디 틀만 완성하고 전체적인 편곡은 전문음악인에게 맡겼다고 전해집니다. 아이가 돌을 던져 남의 집 유리창을 깨면 어디선가 유리 장수인 찰리 채플린이 등장하고 이를 이상한 눈으로 보는 경찰이 쫓는 장면은 지금 봐도 웃음이 나는 장면입니다.

영화는 1921년에 만들어졌는데 국내 개봉은 1989년이라 전 좀 의아했습니다. 저도 1989년에 신문광고를 봤던 기억이 있는데요. 그때는 찰리 채플린이라고 하면 주변 어른들도 전부 알고 있었고 그를 흉내 내는 코미디언도 많아서 누구나 아는 사람이었기에 우리나라에서 오랫동안 상영하지 못했다는 것을 알지 못했습니다. 이유는 그가 〈모던 타임즈Modern Times, 1936〉, 〈위대한 독재자The Great Dictator, 1940〉에서 보여준 몇몇 장면과 대사를 꼬투리 잡아 매카시즘McCarthyism; 1950년대 초 미국에서 발생한 반공산주의 열풍의 희생양 중 한 명이 되었기 때문이죠. 결국, 미국에서 추방당한 뒤 20년간을 스위스에서 지내게 됩니다. 이런 이야기는 우리나라만 있었던 얘기인 줄 알았는데 정치와 이념의 틀은 정말 무섭습니다. 한 사람의 인생의 진로를 완전히 바꾸어 버리니까요.

혹 음악을 듣고 100년 된 이 무성영화에서 재미를 느끼셨다면 그의 또 다른 무성영화 〈시티 라이트City Lights, 1931〉를 추천해 드립니다. 찰리 채플린 그만이 줄 수 있는 쌉싸름함, 따뜻함, 웃음을 즐기실 수 있으실 겁니다. 그리고 이 곡이 마음에 와 닿으셨다면 〈라임 라이트Limelight, 1952〉 중에서 채플린의 'Terry's Theme(1952)'도 함께 감상해보세요.

황야의 7인 (The Magnificient 7, 1962)
1962년 12월 25일 화요일 개봉, 미국

The Magnificient 7(1962) - 엘머 번스타인 (Elmer Bernstein)

〈십계The Ten Commandments, 1956〉, 〈대탈주The Great Escape, 1963〉, 〈고스트 버스터즈Ghostbusters, 1984〉, 〈와일드 와일드 웨스트Wild Wild West, 1999〉. 우리에게 친숙한 음악을 오랫동안 여러 영화에서 담당했던 엘머 번스타인. 그의 활력 넘치고 역동적인 황야의 7인 메인테마는 지금도 예능, 생활 정보 프로그램에서 종종 만나 볼 수 있는 좋은 곡입니다. 단숨에 귀를 사로잡는 도입부, 긴장을 풀어주는 전개부 모두 훌륭합니다.

영화는 잘 알려 진대로 일본영화의 거장 쿠로사와 아키라黒澤明

감독의 〈7인의 사무라이七人の侍, 1954〉에서 영감을 받아 리메이크한 작품입니다. 2016년에는 다시 이 영화를 리메이크해서 〈매그니피센트 7The Magnificent Seven〉이란 제목으로 개봉하기도 했습니다. 그만큼 재미가 있다는 이야기죠. 7명의 총잡이가 모여 마을을 괴롭히는 악당들을 무찌르는 이야기로 오래된 영화임에도 불구하고, 지금 봐도 오락영화로 손색이 없습니다. 당대의 터프가이 배우들인 율 브리너Yul Brynner, 스티브 맥퀸Steve McQueen, 찰스 브론슨Charles Bronson, 제임스 코번James Coburn의 모습을 보는 재미도 좋습니다.

배우 율 브리너는 머리카락이 있는 모습을 보지 못해서 그런지 민머리가 더 멋져 보입니다. 그는 20대에 탈모가 와서 머리를 다 밀어버렸다고 하는데요. 탈모가 와서 남은 머리를 전부 자르기로 마음먹었을 때는 콤플렉스였을지 모르겠으나, 민머리 덕분에 카리스마 넘치는 눈빛 연기가 더 돋보였던 것 같습니다. 율 브리너를 보시고 그가 나오는 다른 영화를 보고 싶어지셨다면 〈왕과 나 The King And I, 1956〉를 꼭 보시기를 추천해 드립니다.

엘머 번스타인의 곡이 와 닿으셨다면, 이곡과는 달리 차분한 느낌의 곡을 추천해 드리겠습니다. 하퍼 리Harper Lee의 소설을 영화화한 〈알라바마 이야기To Kill A Mockingbird, 1962〉의 메인테마 'To Kill A Mockingbird(1962)'도 함께 감상해보세요.

이제 일곱 명이군!

2부 All-Star(올스타) 편
영화음악 팬들이 사랑한 20세기 영화음악

　프로 스포츠 경기에는 올스타전이라는 게 있습니다. 시즌의 절반 정도가 지나면 팬들 사이에서 가장 인기 많았던 선수들과 각 팀의 감독들이 추천하는 선두들을 모아 경기를 벌이는 이벤트성 게임이죠. 대개는 같은 팀끼리 똑같은 유니폼을 입지만 예전에는 프로야구만은 달랐습니다. 같은 유니폼이 아닌 본인이 속한 팀의 유니폼을 입고 출전했었는데요. 저는 그 이유로 여러 종류의 프로 스포츠 올스타전 중에서 우리나라 프로야구 올스타전을 가장 좋아 했습니다.

평상시에는 모든 구단의 유니폼을 한자리에서는 절대 볼 수 없는데 프로야구 올스타전만큼은 같은 경기장에서 전 구단의 선수와 운동복을 볼 수 있었습니다. 어울리지 않을 것 같은 각 구단의 유니폼을 입은 선수들은 경기가 시작되면 마치 한 팀처럼 보였습니다. 첫걸음 편 에서는 방송에서 자주 들을 수 있었던 음악, 익히 들어 누구나 알 수 있을 법한 음악을 주로 소개하였습니다. 이번 편에서는 오전, 오후로 파트를 나눠서 아침, 오전과 저녁, 밤에 어울릴만한 영화음악을 기억 속에서 꺼내보려 합니다.

스포츠 올스타전은 팬들의 인기투표와 각 구단 감독님들의 추천선수로 구성됩니다. 저도 마찬가지로 영화음악 팬들이 사랑한 곡들과 제가 비록 감독은 아니지만, 저만의 추천곡들을 더해봤습니다. 서로 다른 장르, 다른 느낌의 곡들이지만 심혈을 기울여 뽑아 봤으니 올스타전처럼 잘 어우러질 것 같습니다.

Gazebo - David Foster

The John Dunbar Theme - John Barry

Valentine - Vladimir Cosma

Best That You Can Do - Christopher Cross

꽃의 동화 - 김수철

Meet Me Half Way - Kenny Loggins

If I Never Knew You - Jon Secada & Shanice

Lollipop - The Chordettes

Daytona Race-The Crash - Hans Zimmer

Wedding Bell Blues - The 5th Dimension

Theme From My Girl - James Newton Howard

Stealing Home - David Foster

For Your Eyes Only - Sheena Easton

Hillary's Theme - James Newton Howard

Linus and Lucy - Vince Guaraldi

St. Michel - Stelvio Cipriani

Every Road Leads Back to You - Bette Midler

Part Ⅰ. Team Ante Meridiem

오전에 어울리는 영화음악 17

a.m.은 정오를 의미하는 라틴어 'meridiem'에 앞을 뜻하는 접두어 'ante'를 붙여서 만든 단어로 오전이라는 뜻입니다. 이번 파트에서는 아침, 오전에 들으면 좋을 것 같은 음악들을 한 팀으로 묶어 봤습니다. 아침에 대한 느낌은 제각각일 것입니다. 아침에 일어나서 학교나 일터로 가서 저녁에 집으로 돌아오는 것이 보통이지만, 오후에 일어나 저녁에 일터로 나가 밤새워 일하고 다시 아침에 잠을 청하는 분들도 많이 있습니다. 비타민, 영양제 광고에서처럼 두 팔을 번쩍 들어 기지개를 켜면서 밝아온 창문을 향해 미소를 지으며 잠자리에서 일어난 지가 언제인지 기억나지 않습니다. 이부자리에 누워 '조금만 더'를 마음속으로 외치면서 일어나는 매일 아침, 그리고 어떤 분들은 모두 잠들어 있는 밤 내내 일하고 집으로 돌아오는 그 아침에 이 곡들이 좋은 친구가 되었으면 좋겠습니다.

나의 성공의 비밀 (The Secret of My Success, 1987)
1990년 3월 3일 토요일 개봉, 미국

Gazebo(1987) - 데이빗 포스터(David Foster)

'Gazebo'는 정자亭子라는 뜻이죠. 사람의 생각은 동, 서양 어디나 비슷해서 놀랄 때가 많이 있습니다. 사람은 살다가 한 번쯤 쉬어 갈 만한 정자가 필요한 때가 있잖아요? 어렸을 때는 어른들이 성공이라고 하면 왜 꼭 부와 명예를 이루었을 때를 제일로 여기는지 이해가 되지 않았습니다. 꼭 부와 명예가 아니더라도 성공이란 의미는 사람마다 다를 수 있다고 생각했거든요. 하지만 시간이 지나갈수록 어른들의 말이 틀린 것은 아니었음을 인정할 수밖에 없는 상황과 마주하였을 때 참 쓸쓸했던 기억이 있습니다. 그럴 때 정자는 아니었지만, 벤치나 동산, 공원 같은 곳에서 한숨을 내뱉곤 했던 기억이 저 말고도 누구에게나 한 번쯤 있을 것 같아요.

　나의 성공의 비밀은 1987년 작품이지만 우리나라엔 1990년 1월에 〈빽 투 더 퓨쳐 2Back To The Future Part 2, 1989〉가 개봉하면서 주연 배우인 마이클 J. 폭스의 인기 때문에 그의 다른 출연작인 이 영화가 뒤늦은 개봉을 한 것 같습니다. 성공을 위해 달려가는 한 청년이 직장에서 벌이는 이야기를 다룬 코미디 영화인데 본 지가 오래돼서 다시 보려 했지만, 지금은 구하기가 어려운 영화가 되어 버렸습니다.

　음악은 데이빗 포스터가 담당했습니다. 시카고Chicago, 셀린 디온Celine Dion, 크리스티나 아길레라Christina Aguilera, 토니 브렉스턴Toni Braxton, 마돈나Madonna, 휘트니 휴스턴Whitney Houston... 이름만 들어도 쟁쟁한 수퍼스타들의 곡을 프로듀싱한 캐나다의 유명 프로듀서입니다. 다른 영화에서도 마찬가지지만 그의 영화음악은 경쾌하고 산뜻합니다. 듣다 보면 자연스럽게 눈을 감게 될 정도로 몰입감도 좋습니다. 앞서 말씀드린 〈빽 투 더 퓨쳐〉에서 척 베리Chuck Berry의 'Johnny B Goode(1958)'을 들을 수 있는데요. 데이빗 포스터가 그룹 스카이락Skylark의 멤버로 데뷔하기 전에 척 베리의 밴드 멤버로 활약하기도 했습니다. 3년간 그룹으로 활약하던 그는 1973년 탈퇴를 선언하고 1979년에 전설적인 그룹 '어스 윈드 앤 파이어Earth, Wind and Fire'와 함께 작업하여 'After the Love Has Gone(1979)'으로 그래미상을 받습니다. 이후에도 15차례를 더 수상하여 그래미상을 무려 16번이나 받았습니다.

1988년 하계올림픽은 서울에서 개최했지만, 동계올림픽은 캐나다 캘거리에서 열렸는데요. 그때 자국에서 열린 빅 스포츠 이벤트의 음악을 데이빗 포스터가 맡았습니다. 그가 작곡한 주제곡 'Winter Games(1988)'는 스포츠 대회 음악임에도 불구하고 지금까지도 종종 배경음악으로 나올 만큼 세월을 뛰어넘는 좋은 곡입니다. Gazebo를 듣고 여운이 남으셨다면 'Winter Games', 그리고 색소포니스트 케니 지Kenny G가 연주한 'After the Love Has Gone(1991)'도 함께 감상해 보시면 좋으실 것 같습니다.

이 일을 하고 싶어요. 할 수 있다고요.

늑대와 춤을 (Dance with the Wolves, 1990)
1991년 3월 31일 일요일 개봉, 미국

The John Dunbar Theme(1990) - 존 배리(John Barry)

　전쟁은 인간의 본성이 얼마나 악한지를 잘 볼 수 있는 예입니다. 탐욕의 끝에 서 있는 사람들이 더 많은 욕심을 내기 시작하고, 그것을 이용해 어떤 이들은 많은 이익을 누리고, 내가 속한 집단을 위해서라면 타인의 불행과 희생이 당연시 여겨지는 그곳. 어쩌면 총, 칼만 들지 않았을 뿐 우리는 이런 욕심의 굴레를 매일 헤쳐나가며 자신의 자리를 지키고 있는 것인지도 모릅니다.

　영화는 미국 남북전쟁 중 북군의 한 병사가 우연한 계기로 인디언 세계로 들어가게 되면서 벌어지는 이야기를 그리고 있습니다. 인디언 세계에 동화되어 전쟁의 그늘이 벗겨질 때쯤 인디언 세계에도 다른 부족과의 결투가 벌어집니다. 그리곤 또 다시 북군이 인디언 부족을 괴롭히기 시작합니다. 인생살이라는 게 다 이런 모양입니다.

음악은 영국의 명 영화음악 작곡가 존 배리가 맡았습니다. 많은 분이 그의 이름을 들으면 007시리즈를 제일 먼저 떠올릴 것입니다. 007시리즈의 두 번째 편인 〈살인번호From Russia With Love, 1963〉부터 열다섯 번째 편인 〈리빙 데이라이트The Living Daylights, 1987〉까지 무려 24년간 한 영화의 시리즈에서 음악 감독을 맡았으니 007은 그의 혼이 담긴 영화라고 말해도 무리가 되지 않을 것 같습니다. 당시에도 이미 거장의 반열에 올라 있던 존 배리와 영화의 원작소설가인 마이클 블레이크Michael Blake도 직접 각색에 참여하면서 스토리 구성에서도 음악에서도 신인 감독에게 큰 힘을 주었음이 분명합니다. 제작비 1,500만 불로 세상에 내놓아 4억 2천만불이란 30배에 가까운 엄청난 수익을 거두며 흥행에서도 성공했고 아카데미 감독상, 각색상, 음악상 등 7개 부분에 수상하면서 케빈 코스트너는 수퍼스타의 반열에 오릅니다.

'John Dunbar Theme'은 각종 방송, CF에서 참으로 많이 들

을 수 있었던 곡으로 듣고 있노라면 극 중에 나왔던 드넓은 초원과 인디언 마을, 떼 지어 다니는 버팔로가 떠오릅니다. 영화를 보지 않았더라도 편안한 웅장함에 마음이 차분해짐을 느끼실 수 있으실 거예요.

존 배리의 곡이 한 곡 더 듣고 싶어지셨다면 〈아웃 오브 아프리카Out of Africa, 1985〉 중에서 'I Had a Farm in Africa(1985)'를 함께 감상해보세요.

나는 늑대와 춤을의 친구, 머리에 부는 바람이다!

유콜잇러브 (L'Etudiante, 1988)
1989년 4월 1일 토요일 개봉, 프랑스

Valentine(1988) - 블라디미르 코스마 (Vladimir Cosma)

　전에는 아이가 초등학교에 입학하면 장만해주는 학용품 중에 책받침이 있었습니다. 프리젠테이션 시스템이 갖춰지기까지 선생님들이 칠판에 수업의 핵심사항을 쓰시면 학생들이 공책에 받아 적는 경우가 대부분이었습니다. 예전에는 공책의 종이 질도 지금과 같이 좋지 않았어요. 게다가 초등학생들은 보통 연필을 꾹꾹 눌러서 쓰기 때문에 책받침을 대고 쓰지 않으면 필기한 공책 뒷면에는 앞장에 쓴 글씨들이 살짝 올라와 있게 되는 경우가 많았습니다. 그래서 공책에 책받침을 대고 필기하면 밑판이 딱딱해져서 필기감도 좋고 노트 뒷면이 올라오는 것도 방지할 수 있었죠. 책받침을 대면 연필 글씨 쓰는 소리도 더 경쾌하고 속도감도 더 나았습니다. 책받침 옆쪽에는 눈금이 있어 자를 겸용한 때도 있었고, 인기 만화 캐릭터, 멋진 풍경이나 인기 연예인 사진이 큼지막하게 그려져 있는 경우가 많았습니다. 그중 서양 여자 연예인 빅3가 있었으니 브룩 쉴즈Brooke Shields, 피비 케이츠Phoebe Cates 그리고 소피 마르소Sophie Marceau입니다. 세 배우 중 우리나라에선 프랑스 배우 소피 마르소가 가장 많은 사랑을 받았는지 CF에도 출연하고 내한도 제일 많이 했던 것 같습니다.

이 영화의 원제목은 L'Etudiante(여학생)입니다. 우리나라에선 노르웨이 출신의 캐롤라인 크루거Karoline Kruger가 부른 주제가 'You Call It Love(1988)'가 영화보다 더 많은 사랑을 받아서 그대로 제목을 붙인 것 같습니다. 소피 마르소 하면 이 영화 말고도 〈라붐La Boum, 1980〉이 유명한데요. 라붐에서의 소피 마르소가 소녀의 느낌이었다면 이 영화에서는 청순한 매력의 아가씨가 된 모습에 많은 이들이 반했던 것 같습니다. 말씀드린 두 영화에는 공통점이 있어요. 주연이 소피 마르소였다는 점, 그리고 음악을 루마니아 출신의 영화음악가 블라디미르 코스마Vladimir Cosma가 맡았다는 것이지요. 소개해 드린 곡은 소피 마르소가 분(扮)했던 주인공 '발렌타인의 테마'입니다. 발렌타인의 테마는 캐롤라인 크루거가 부른 주제가와 멜로디가 같지만, 따로 떼어 놓고 들어도 정말 좋은 곡입니다.

블라디미르 코스마는 양친 모두 음악인이었고 조부모님 또한 음악인이었습니다. 루마니아에서 프랑스로 유학 가서 음악공부를 한 뒤 이후 많은 프랑스 영화음악을 담당하였습니다. 이 곡이와 닿으셨다면 같은 사운드트랙 앨범에 실려 있는 'Ned Compose(1988)'도 놓치지 마세요.

가끔 라디오에서 좋은 노래가 나올 때가 있어.

미스터 아더 (Arthur, 1981)
1994년 4월 8일 금요일 SBS 방영, 미국

 Best That You Can Do(1981) - 크리스토퍼 크로스(Christopher Cross)

When you get caught between the moon and New York city

저 달과 뉴욕 사이에서 오도 가도 못하게 될 때

I know it's crazy, but it's true

정신 나간 일이란 걸 알아. 하지만 사실인걸

If you get caught between the moon and New York city

저 달과 뉴욕 사이에서 오도 가도 못하게 된다면

The best that you can do, The best that you can do is fall in love

네가 할 수 있는 최고의 것은, 바로 사랑에 빠지는 것이라는 걸

1981년 빌보드 차트 1위는 무려 9주 동안 영화 〈끝없는 사랑 Endless Love〉의 주제가 'Endless Love'가 차지했습니다. 그러다 10주가 되던 주에 바로 이 곡 'Best That You Can Do'에게 자리를 내주었습니다. 그리고 이 곡이 이후 3주간 1위를 지켰어요.

노래를 부른 크리스토퍼 크로스는 이 곡으로 아카데미 주제가상, 골든글로브 주제가상을 동시에 받았습니다. 그는 덩치가 좀 있는 편인데요. 목소리만 들었을 때는 여자가수일 수도 있겠다는 생각도 들고, 미소년 느낌의 미남자가 아닐까 생각도 들었습니다. 하지만 사진과 영상을 봤을 때 이웃집 형 같은 푸근한 이미지에 많이 놀랐습니다. 1집인 'Christopher Cross(1979)'가 대박이 나면서 1980년에는 무려 5개 부분에서 그래미를 거머쥐었고 1981년에는 이 곡으로 오스카까지 연이어 들어 올리니 인생에서 참 행복한 시간이었을 것 같습니다. 미국의 유명작곡가 버트 바카락Burt Bacharach이 작곡을 맡았고, 작사는 캐롤 베이어 새거 Carole Bayer Sager와 호주의 싱어송라이터이자 영화 속 여주인공 라이자 미넬리Liza Minnelli의 첫 번째 남편인 피터 앨런Peter Allen 이 공동작업했습니다.

후렴구인 'When you get caught between the moon and New York city'는 작사를 맡은 피터 앨런이 깜깜한 밤 공항에 도착해서 비행기가 활주로에 있던 그때 떠오른 가사라고 합니다. 깜깜한 밤하늘을 날아와 착륙한 비행기 창을 통해 밖을 내다본 환한 달의 모습, 착륙은 했지만, 아직 도시로 나가지 못해 아직 비행기 안에 앉아서 기다리고 있는 나를 보며 어떤 생각을 했을까요? 학창시절 제가 들었던 이 가사는 뜻을 정확하게 알 수는 없었지만, 어딘가 낭만적이고, 큰 도시에 대한 그리움 같은게 느껴졌습니다. 뭔가를 이루고 싶지만, 아직 손아귀에 잡히지 않은 답답함을 표현한 거라 막연하게 생각이 들었어요. 저마다의 해석이 가능한 멋진 노랫말인 것 같아요.

크리스토퍼 크로스의 음성이 마음에 와 닿으셨다면 1집 수록곡인 크리스토퍼 크로스의 'Sailing(1980)'을 추천해드립니다. 정말 아름다운 곡이죠. 이 곡과 함께 일본 애시드 재즈Acid Jazz : 재즈에 디스코, 펑크, 힙합 등이 결합 된 장르 밴드인 파리스 매치Paris Match의 'Best That You Can Do(2003)' 리메이크 버전도 함께 감상해보세요. 듣다 보면 차 한 잔이 생각나실 겁니다.

네가 할 수 있는 최고의 것은,

바로 사랑에 빠지는 것이라는 걸.

축제 (축제, 1996)
1996년 6월 6일 목요일 개봉, 한국

꽃의 동화(1996) - 김수철

'작은 거인'이라는 수식어가 늘 따라다녔던 김수철 아저씨. 이분을 방송에서 뵌 지가 참 오래되었습니다. 지금은 선망의 직업이 돼서 인식이 달라졌지만, 예전에는 재능이 있다 해도 가수를 한다고 하면 부모님들의 반대가 극심하여 아버지가 기타를 부쉈다는 등의 이야기는 주변에서 심심치 않게 들을 수 있었습니다. 가수 김수철 님도 마찬가지였죠. 가수 한다고 했을 때 집에서 큰 반대를 했다고 해요. 그는 1979년 밴드 '작은 거인'으로 데뷔 후 솔로로 전향하여 '못 다 핀 꽃 한 송이(1983)', '젊은 그대 (1984)', '정신 차려(1989)'와 같은 곡들로 인기를 얻어 지금까지도 많은 이들이 기억하고 있습니다. 앞에서 몇몇 영화음악가들이 자국自國에서 열리는 스포츠 이벤트에서 음악을 맡았었다고 말씀드린 적이 있었죠? 1988년 하계 서울올림픽에서는 김수철님이 음악 감독을 맡아 국악과 신디사이저가 접목된 음악을 선보였었습니다.

  영화 〈서편제(1993)〉부터는 그간 공부해 오던 국악의 내공을 영화에 녹여내기 시작해서 〈태백산맥(1994)〉과 소개해 드리는 〈축제〉까지 그 기조를 이어갑니다. 〈칠수와 만수(1998)〉, 〈개그맨(1989)〉, 〈태백산맥〉에서는 배우 안성기님이 출연하였고 서편제로 큰 사랑을 받은 배우 오정해님은 다시 이 영화에도 출연하니 김수철 음악감독과 나름의 인연이 있는 것 같습니다. 시간이 지나니 찾아보기 힘들어진 영화 중 하나가 됐지만, 음악만큼은 팬들 사이로 전해져서 테마음악인 축제는 지금도 간간이 들을 수 있습니다. 추천해 드리는 곡 '꽃의 동화'는 소금, 대금, 가야금 합주를 들을 수 있는 좋은 곡입니다. 이 곡이 마음에 와 닿으셨다면 영화 서편제 중에서 김수철님의 '소리길(1993)', 그리고 1988년 서울올림픽 전야행사에 등장했던 '도약'도 함께 감상해 보세요.

오버 더 톱 (Over The Top, 1987)
1987년 7월 4일 토요일 개봉, 미국

Meet Me Half Way(1987) - 케니 로긴스(Kenny Loggins)

초등학생 때 이 질문을 심심치 않게 들었습니다. '람보랑 코만도랑 싸우면 누가 이겨?', '터미네이터랑 로보캅이랑 싸우면 누가 이겨?' 1980년대 할리우드의 근육질 스타 실베스터 스탤론Sylvester Stallone과 아놀드 슈왈제네거Arnold Schwarzenegger의 인기가 대단했음을 보여주는 질문입니다. '오버 더 톱'은 록키 Rocky, 람보Rambo 시리즈로 최고의 스타로 인기를 누린 스탤론의 근육을 작정하고 보여주기 위해, 팔씨름을 소재로 제작한 영화입니다. 요즘이야 오버 더 톱이라고 하면 온라인 동영상 서비스인 OTT를 먼저 떠올리게 되지만, 예전에는 스탤론의 굵은 팔

근육이 제일 먼저 생각났었습니다. 영화의 큰 줄기는 부자 사이의 갈등과 사랑, 그리고 팔씨름 경기인데요. 뭔가 영화를 보지 않아도 내용을 알 수 있을 것 같으실 겁니다.

소개해 드리는 주제가가 영화보다 많은 사랑을 받았습니다. 일렉트로니카의 대가 조르지오 모로더Giorgio Moroder가 음악을 맡았고 주제가는 영화음악으로 숱한 히트곡을 가지고 있는 케니 로긴스가 불렀습니다. 케니 로긴스 라고 하면 영화 '자유의 댄스Footloose, 1984'의 주제가 'Footloose'로 그를 기억하시는 팬들이 대단히 많으시죠? 늘 밝은 청년의 목소리에다 가창력도 좋고 턱수염도 잘 어울리는 미남이었기 때문에 인기도 많았습니다.
케니 로긴스는 1972년 짐 메시나Jim Messina와 함께 로긴스 앤 메시나Loggins and Messina라는 이름의 남성 듀오로 활동하다가 1978년에 솔로로 전향한 뒤 1980년 'This Is It'으로 그래미상을 받으면서 솔로 가수로서 대중과 평단으로부터 인정을 받습니다. 영화음악에는 1976년 '스타탄생A Star Is Born'에 참여한 후 앞서 말씀드린 'Footloose'가 빌보드 차트에서 3주간 1위를 차지하면서부터 여러 영화에서 그의 목소리를 들을 수 있게 됩니다.

In a lifetime made of memories, I believe In destiny

추억들로 가득한 이 삶을, 나는 운명이라 믿고 있어

Every moment returns again in time

매 순간은 때를 맞춰 다시 내게 돌아오지

When I've got the future on my mind, Know that you'll be the only one

미래를 생각하면, 당신은 나의 그 단 한 사람이라는 걸 알게 돼

Meet me halfway Across the sky

저 하늘을 가로질러 천국과 이 세상의 가운데서 만나자

Out where the world belong to only you and I

저 너머 그곳은 오직 당신과 나만의 세계

이 곡이 마음에 와 닿으셨다면, 〈곰돌이 푸Winnie-the-Pooh, 1926〉의 마지막권 앨런 밀른Alan.A.Milne의 'The House at Pooh Corner(1928)'에서 영감을 받아 만든 'Return to Pooh Corner(1994)'도 함께 감상해봅시다. 역시 케니 로긴스의 음색과 정말 잘 맞는 좋은 곡이에요.

추억들로 가득한 이 삶을, 나는 운명이라 믿고 있어.

포카혼타스 (Pocahontas, 1995)
1995년 7월 5일 수요일 개봉, 미국

If I Never Knew You(1995) -
존 세카다(Jon Secada) & 샤니스(Shanice)

 포카혼타스, 꽤 유명한 실존 인물임에도 불구하고 애니메이션
을 접하기 전까지 한 번도 들어본 적이 없었던 이름이었어요. 대
서양을 건너 영국 사람이 된 최초의 미대륙 원주민이죠. 새로운
부의 기회를 쫓아 영국에서 신대륙으로 향하는 이들 중 한 사람
인 존 스미스와 원주민 처녀 포카혼타스가 사랑에 빠지게 되는
실제 이야기를 애니메이션화 한 영화입니다.

지금은 많은 영화사와 판권을 흡수해 나가면서 공룡영화사가 된
디즈니이지만 1980년대까지만 해도 디즈니는 주로 어린이들을
위한 애니메이션이나 영화를 제작했습니다. 1937년 작 백설공

주와 일곱 난쟁이Snow White and the Seven Dwarfs를 시작으로 장편 애니메이션을 1~3년 간격으로 한 편씩 내놓았습니다. 원작이 있는 영화도 있고 순수 창작물도 있습니다. 그중에는 우리에게 익숙한 작품이 많아요.

백설공주에 이은 2번째 장편 〈피노키오Pinocchio, 1940〉, 4번째 〈덤보Dumbo, 1941〉, 5번째 〈밤비Bambi, 1942〉, 12번째 〈신데렐라 Cinderella, 1950〉, 13번째 〈이상한 나라의 앨리스Alice in Wonderland, 1951〉, 19번째 〈정글북The Jungle Book, 1967〉 등 지금 보아도 재미있고 음악도 유명한 대작이 많이 있습니다. 1980년대 들어오면서 침체기를 겪던 디즈니의 구원투수가 나타났으니 바로 28번째 작품인 〈인어공주The Little Mermaid, 1989〉입니다. 인어공주의 대단한 인기에 힘입어 발표한 30번째 작품 〈미녀와 야수 Beauty and the Beast, 1991〉, 31번째인 〈알라딘Aladdin, 1992〉이 연달아 흥행에 성공하였습니다.

〈포카혼타스〉는 33번째 장편 애니메이션인데요. 〈인어공주〉, 〈미녀와 야수〉, 〈알라딘〉, 그리고 〈포카혼타스〉는 공통점이 있습니다. 모두 알란 맨켄Alan Menken이 음악을 담당한 것이죠. 이 작품들의 흥행에는 기존과 다른 알란 맨켄의 음악이 큰 역할을 했다고 할 수 있겠습니다. 앞선 1980년대 이전 작품에서도 뮤지컬적인 요소가 있었지만 알란 맨켄이 맡은 뒤로는 좀 더 진짜 뮤지컬을 보는 것만 같은 느낌에다 어린이뿐 아니라 성인이 들어도 좋은 멜로디로 채워 넣었습니다.

이 사운드트랙에는 아카데미 주제가상을 받은 바네사 윌리엄스Vanessa Williams의 'Colors of the Wind'가 있지만 엔딩에 등장하는 'If I Never Knew You'도 상당히 훌륭합니다. 영화음악 팬들로부터 많은 지지를 받은 곡이죠. 이 곡과 관련된 재미있는 일화가 있는데요. 포카혼타스 시사회 버전에는 극 중에서 이 곡을 부르는 장면이 담겨있다고 합니다. 하지만 시사회 당시 그 장면에서 어린이들 반응이 시큰둥하여 이 장면을 편집하여 들어내고 엔드 타이틀로 옮겼다고 해요. 극 중에서는 포카혼타스역을 맡은 주디 쿤Judy Kuhn과 존 스미스역을 맡은 멜 깁슨Mel Gibson의 듀엣곡이 있었지만 전부 편집되는 바람에 지금은 엔딩에 흐르는 존 세카다와 샤니스가 부르는 곡만 들을 수 있습니다. 존 세카다의 부드러운 음색에 넓은 음역을 가지고 있는 샤니스의 조합이 멋진 곡입니다.

If I never knew you, If I never felt this love

당신을 알지 못했다면, 그리고 사랑하지 않았더라면

I would have no inkling of how precious life can be

삶의 소중함을 어렴풋이라도 알 수 없었을 거예요

And if I never held you, I would never have a clue

당신을 붙잡지 않았다면, 절대 알 수 없었겠죠

How at last I'd find in you the missing part of me

드디어 잃어버린 내 반쪽을 당신에게서 발견 한 거예요

(중략)

I thought our love would be so beautiful

우리 사랑은 정말 아름다우리라 생각했어요

Somehow we'd make the whole world bright

어떤 상황이 와도 이 세상 전부를 환하게 밝혀주고 있으니까요

I thought our love would be so beautiful

우리 사랑은 너무나 아름답다 생각했어요

We'd turn the darkness into light

짙은 흑암도 밝은 빛으로 변하게 하니까요

And still my heart is singing we were right, We were right

내 심장은 우리가 옳았다고 노래하고 있어요, 우리가 옳았다고

And If I never knew you, if I never knew you

당신을 알지 못했다면, 그대를 알지 못했다면

I'd have lived my whole life through empty as the sky

나의 인생은 저 하늘과 같은 텅 빈 공허함으로 지나왔겠죠

Never knowing why, lost forever

왜 그랬는지 영원히 이유를 알지 못한 채

If I never knew you

만약에 당신을 만나지 못했다면

좋아하는 가사다 보니 좀 길어졌습니다. 샤니스의 가창력에 감탄하셨다면 1990년대 미국은 물론 국내에서도 많은 사랑을 받은 미국 드라마 〈비버리 힐스 아이들Beverly Hills 90210, 1990〉 사운드트랙에 실려 있는 샤니스의 'Saving Forever For You(1992)'도 함께 들어보세요.

마음을 열면 뭐든지 다 들린단다.

스탠 바이 미 (Stand By Me, 1986)
2014년 7월 14일 월요일 재개봉, 미국

Lollipop(1958) - 더 코데츠(The Chordettes)

로브 라이너Rob Reiner 감독의 1986년작 〈스탠 바이 미〉는 많은 영화팬은 물론 영화평론가들로부터도 20세기 최고의 로드무비Road Movie : 장소의 이동을 따라가며 이야기가 진행되는 영화 중 하나라며 극찬을 받았습니다. 우리나라에는 1986년에 개봉한 것으로 되어 있으나 정확한 일자를 알 수 없어서 2014년 재개봉 일자로 기록하였어요.

〈스탠 바이 미〉, 영화팬들 사이에 전설과 같은 이 영화의 주인공은 4명의 아역배우입니다. 그중 미남 소년 리버 피닉스River Phoenix는 이후 영화 〈인디아나 존스3 최후의 성전 Indiana Jones

And The Last Crusade, 1989〉, 〈아이다호My Own Private Idaho, 1991〉
로 호평을 받으며 스타의 입지를 굳혀 나갔어요. 하지만 약물남
용으로 인한 심장마비로 24살이라는 젊은 나이에 세상을 떠나
많은 소녀팬의 마음을 슬프게 했습니다.

주제가는 영화 제목과 같은 '벤 E. 킹Ben E. King'의 'Stand by
Me(1961)'였는데요. 개봉 당시에도 흘러간 추억의 노래였지만
이후에도 줄곧 꾸준한 사랑을 받아 여전히 대중매체에서 종종 들
을 수 있는 곡입니다. 이 곡이 워낙에 유명하여 같은 사운드트랙
에 있지만 조금 가려진 곡이 있으니, 바로 미국 4인조 아카펠라
걸그룹 더 코데츠의 'Lollipop'입니다. 연인의 입맞춤이 롤리팝
사탕보다 달콤하다는 내용으로 'Lollipop lollipop Oh Lolli Lolli
Lolli'가 반복하는 중독성 있는 곡입니다. 오래된 곡이지만 지금
도 여전히 흥겹습니다. 원곡은 로널드 앤 루비Ronald & Ruby가 불
렀지만, 더 코데츠가 커버 한 곡이 더 사랑을 받아 이 곡을 빌보
드 팝차트 2위에 올려놓습니다.

이 곡이 마음에 와 닿으셨다면 〈**빽** 투 더 퓨쳐Back To The Future,

1985〉에 나왔던 'Mr. Sandman(1954)'를 추천해 드립니다. 〈빽 투 더 퓨쳐〉에서 1955년으로 처음 시간 여행을 갔을 때 거리에서 들려오던 그 곡이죠. 영화에서는 남성 4인조 '포 에이스The Four Aces'버전이 나옵니다. 1954년에 코데츠와 포 에이스 버전을 함께 발표했지만, 빌보드 주크박스 차트에서 코데츠는 1위, 포 에이스가 6위를 차지했었습니다. 우리나라에도 여성 듀오 바버렛츠The Barberettes의 2018년 커버버전이 있습니다. 함께 비교하면서 들어보시는 것도 재미있을 것 같습니다.

널 싫어하는 게 아니라 널 모르는 것뿐이야.

폭풍의 질주 (Days of Thunder, 1990)
1990년 8월 11일 토요일 개봉, 미국

You're home/Daytona Race/The Crash(1990) –
한스 짐머(Hans Zimmer)

〈폭풍의 질주〉는 〈탑 건Top Gun, 1986〉의 감독인 토니 스콧Tony Scott과 톰 크루즈가 다시 한 번 의기투합하여 만든 영화예요. 탑 건과 마찬가지로 스토리는 다소 단조롭지만, 볼 거리 만큼은 확실합니다. 이 영화를 극장에서 보신 분이리면 강력한 현장음과 레이싱 장면이 상당한 재미를 주었을 것 같습니다. 영화에서는 니콜 키드먼Nicole Kidman의 풋풋한 시절의 모습을 볼 수 있습니다. 영화의 음악은 웅장함, 박진감의 대명사 한스 짐머가 맡았습니다. 이 영화에서는 자동차 레이싱과 잘 어울리는 박진감 넘치는 음악이 실려 있습니다.

Daytona는 미국 플로리다에 있는 도시 이름이죠. 'Daytona 500'이라는 레이싱 트랙이 그곳에 있는데요. 여기서 매년 '나스카컵NASCAR' 레이싱 대회가 열립니다. 영화에도 물론 나스카컵을 타기 위해 수많은 레이서가 경주를 펼쳐요. 데이토나 트랙은 워낙 유명해서 오락실 게임에도 자주 등장했었어요. 자동차 면허가 없었던 어린 시절, 오락실에서 운전대를 잡고 어른들처럼 쌩쌩 달려보려 했었는데 차가 뒤집히는 대형사고로 늘 게임을 마무리하곤 했습니다.

이 곡은 카레이싱 장면에 쓰인 만큼 리듬도 빠르고 드럼 비트도 아주 좋습니다. 한스 짐머는 신디사이저 연주자로 음악 생활을 시작했는데요. 그의 초창기 영화음악에는 그런 특유의 분위기가 녹아 있습니다. 그 점을 느낄 수 있는 좋은 곡입니다. 이 곡이 마음에 와 닿으셨다면 한스 짐머하면 빼놓기 힘든 곡이죠. 〈캐리비안의 해적 – 블랙 펄의 저주Pirates Of The Caribbean: The Curse Of The Black Pearl, 2003〉 사운드트랙 중에서 클라우스 바델트Klaus Badelt와 공동 작업한 'He's a Pirate(2003)'도 함께 들어보세요.

마이 걸 (My Girl, 1991)
1992년 9월 10일 목요일 개봉, 미국

 Wedding Bell Blues(1966) – 핍스 디멘션 (The 5th Dimension)

제가 어렸을 적에는 4차원이라고 하면 무언가 미래지향적인 것 같고 어려운 얘기, 과학적인 얘기로 들렸던 단어인데, 21세기에 접어들면서 의미가 변하기 시작했어요. 4차원이란 단어는 뭔가 종잡을 수 없는 생각, 별난 행동을 하는 사람들을 가리키는 말이 된 것입니다.

이 곡을 부른 그룹 이름은 바로 5번째 차원! 핍스 디멘션입니다. 남성 3명, 여성 2명으로 이뤄진 혼성 5인조 그룹인데요. 이름이 정말 그럴싸하죠? 누가 지었는지 참 잘 만들었습니다. 핍스 디멘션은 멤버의 호흡도 잘 맞고 좋은 곡을 많이 불렀어요. 그리고 미국의 싱어송 라이터 로라 니로Laura Nyro와 인연이 있는 가수입니다.

 핍스 디멘션의 히트 곡 'Stoned Soul Picnic(1968)', 'Sweet Blindness(1968)', 'Blowing Away(1969)', 'Save the Country(1970)'가 모두 로라 니로의 곡이고 이 곡 'Wedding Bell Blues' 역시 로라 니로가 작곡하였습니다. 곡의 시작부터 끝까지 이어지는 경쾌한 피아노 연주는 지금 들어도 일품입니다.

Bill, I love you so I always will
빌, 난 언제나 당신을 사랑할게요
I look at you and see the passion eyes of May
당신을 바라보면 오월 열정의 눈동자가 보입니다
Oh but am I ever gonna see my wedding day?
하지만 난 내 결혼식을 볼 수 있을까요?
Oh I was on your side Bill when you were losin'
당신이 실의에 빠져있었을 때도 난 당신 곁에 있었죠
I'd never scheme or lie Bill There's been no foolin'
얕은수를 부리거나 거짓말을 하지 않을 거예요. 당신을 속인 적도 없었어요
But kisses and love won't carry me till you marry me Bill
하지만 빌, 나랑 결혼하기 전까진 입맞춤과 사랑만으로 나를 데려갈 순 없을 거예요

이 곡이 마음에 와 닿으셨다면 같은 사운드트랙 앨범 중에서 '토드 룬드그렌Todd Rundgren'이 부른 'I Saw The Light(1972)'도 함께 감상해 보세요. 중성적인 보이스와 멋진 드럼, 탬버린 연주가 인상적인 곡입니다.

· Theme From My Girl(1991) –
제임스 뉴튼 하워드(James Newton Howard)

마이 걸에는 귀여운 여자아이가 한 명 출연합니다. 자기를 낳다가 돌아가신 엄마를 그리워하지만, 엄마를 죽였다는 죄책감을 짊어지고 살아가는 어린이입니다. 할머니는 치매를 앓고 계시고 아빠는 장의사이신데 일이 바쁘기도 하고 성격상 딸에게 다정한 아빠는 아닙니다. 그러던 어느 날 아빠는 새엄마가 될지 모르는 여자 친구를 집에 데리고 옵니다. 그 아이가 영화 마이 걸의 주인공인 베이다Vada입니다. 그 때문에 이 곡은 'Vada's Theme'으로도 불리고 있습니다. 영화 마이 걸은 빠지는 게 없습니다. 스토리, 연기, 음악 모든 게 최고입니다. 큰 영화제에서 수상을 많이 했거나 영화평론가들의 큰 찬사를 받지 않았지만, 앞으로도 이 영화는 많은 이들에게 감동을 줄 것이 분명합니다. 영화는 1992년 9월 10일에 개봉했는데 그때 추석 연휴가 시작하는 날이었습니다. 가족단위로 보기에 딱 좋기 내용이기 때문에 타이밍을 맞춰 개봉한 것 같습니다.

베이다 역은 지금은 드라마 배우로 활약 중인 안나 클럼스키 Anna Chlumsky가 맡았습니다. 미국 드라마 〈VEEP(2012-2019)〉을 좋아하시는 분이라면 성인이 된 안나의 모습도 익숙하시겠지만 제 마음속에는 여전히 마이 걸 속 어린 소녀의 모습이 더 강하게 남아 있습니다. 안나 클럼스키의 연기도 좋았지만, 그 연기가 더 빛날 수 있었던 건 당대 최고의 아역배우였던 맥컬리 컬킨 Macaulay Culkin이 있었기 때문이라 생각합니다.

음악은 제임스 뉴튼 하워드가 담당했는데요. 〈귀여운 여인Pretty Woman, 1990〉, 〈도망자The Fugitive, 1993〉, 〈킹콩King Kong, 2005〉, 〈배트맨 비긴즈Batman Begins, 2005〉 등 듣기만 해도 유명한 많은 영화에서 음악감독으로 일했습니다. 처음엔 그도 다른 여러 영화음악가처럼 피아노, 키보드 연주자로 시작해서 다이아나 로스Diana Ross, 링고 스타Ringo Starr, 해리 닐슨Harry Nilsson, 엘튼 존Elton John등 여러 유명가수의 세션 맨Session Musician : 녹음작업이나 공연을 위해 한시적으로 함께 일하는 연주자으로 활약하다가 귀여운 여인Pretty Woman, 1990의 음악을 맡으면서 영화음악의 길로 들어섭니다. 이 곡이 마음에 와 닿았다면 제임스 뉴튼 하워드의 좀 다른 분위기의 곡을 추천해 드리겠습니다. 〈헝거게임: 캣칭 파이어The Hunger Games: Catching Fire, 2013〉 중에서 'Tributes Parade(2013)'.

하나, 둘, 둘하고 반, 셋!

추억의 첫사랑 (Stealing Home, 1988)
1992년 10월 16일 금요일 SBS 방영, 미국

Stealing Home(1988) - 데이빗 포스터(David Foster)

　　우리나라는 프로야구의 인기가 대단합니다. 프로야구 원년에
저도 아버지를 따라서 야구장에 갔었어요. 원년인 1982년부터
사람들이 엄청나게 많이 왔었습니다. 외야에 앉은 저는 선수들도
잘 안 보였었습니다. 지금처럼 전광판이 좋지도 않았어요. 준비
해간 쌍안경으로 그라운드에서 뛰는 선수들을 봐야 했습니다. 그
이후 오랜 시간 동안 야구경기를 여러 차례 지켜봤지만 홈 스틸
Stealing Home : 3루 주자가 홈플레이트를 도루하는 플레이은 라이브로 본
적이 없고 스포츠 뉴스에서만 두어 번 본 게 전부입니다. 그 정도
로 드물게 나오기도 하고 어려운 플레이입니다. 왜 제목이 홈 스

틸인지는 영화를 보시면 알 수 있으시겠지만, 조디 포스터의 풋풋한 시절을 볼 수 있는 점과 음악이 좋다는 것 말고는 크게 기억 남는 영화는 아니었습니다.

　음악은 캐나다의 유명 프로듀서 데이빗 포스터가 맡았습니다. 이 곡을 처음 들었을 때 둘 중 한 곡은 무조건 표절이라고 생각했는데요. '세인트 엘모의 열정St. Elmo's Fire, 1985'의 사랑의 테마와 멜로디와 곡의 구성이 너무 비슷하다는 생각이 들었기 때문입니다. 그런데 오래지 않아서 작곡자가 같다는 걸 알게 되었어요. 데이빗 포스터 개인적으로는 'St. Elmo's Fire Love Theme'에 더 애착이 있는지 자신의 베스트 앨범에 수록하거나 개인 콘서트에서 그 곡은 자주 연주하는데 Stealing Home을 연주하는 건 들어본 적이 없습니다. 두 곡 모두 훌륭하기 때문에 함께 비교해가면서 들으면 재미있을 것 같습니다. 같은 사운드트랙 앨범에 수록된 'Katie's Theme'도 참 좋습니다. 극 중 조디 포스터가 맡은 배역이 케이티인데요. 사랑의 테마인 'And When She Danced'와 같은 멜로디지만 다른 느낌의 편안한 곡입니다.

　데이빗 포스터는 21세기에 들어서도 비욘세Beyoncé, 마이클 부블레Michael Bublé, 안드레아 보첼리Andrea Bocelli등 유명가수들과 음악 작업은 계속 이어나가지만, 영화음악으로 만나기는 어려워 졌습니다. 말씀드린 곡들이 마음에 와 닿으셨다면 알 재로Al Jarreau와 함께 만든 'Mornin'(1983)'도 한번 들어볼까요? 알 재로 가 부른 노래도 좋지만, 보컬을 뺀 데이빗 포스터의 연주곡도 있 는데요. 제목 그대로 아침과 참 잘 어울리는 좋은 곡입니다.

이 부두에서 뛰어 내려보고 싶어.

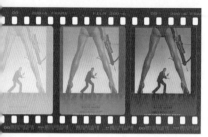

007 유어 아이스 온리 (For Your Eyes Only, 1981)
1982년 11월 27일 토요일 개봉, 영국

For Your Eyes Only(1981) - 시나 이스턴(Sheena Easton)

　007 시리즈는 이언 플레밍Ian Fleming의 소설을 영화화한 작품입니다. 시리즈의 초기작품은 대부분 원작의 이야기를 따르고 있지만 10편을 넘어가기 시작하면서 원작소설의 제목은 유지하되 스토리는 크게 변경하기 시작합니다. 12번째 편인 이 영화는 원작의 주적主敵인 스펙터를 시작부터 깔끔하게 정리하고 당시의 냉전체제를 이용한 이야기를 펼쳐갑니다. 거기에는 당시 시대상을 영화의 흥행에 이용한다는 것 말고도 또 다른 이유도 있었습니다.

　이언 플레밍의 제임스 본드소설은 1953~1966년까지 집필됐습니다. 1980년대에 나온 007시리즈는 당시 냉전 시대를 영화에 녹여내려 했지만, 아이러니하게도 이언 플레밍은 1950-60년대에 집필했음에도 냉전이 곧 끝날 것으로 생각하여 제임스 본드를 위협하는 적으로 공산권도 영국도 미국도 아닌 새로운 악의 단체를 구상합니다. 그리하여 '스펙터'라는 단체가 소설에 등장하는데 이때 이런 구상에 대해 공동 아이디어를 낸 작가가 케빈 맥클로리Kevin McClory입니다. 큰 성공 앞에서 그동안의 정과 인연을 뒤로 한 채 법대로 하자고 하는 경우를 지금도 흔히 볼 수 있는데요. 케빈 맥클로리가 스펙터의 판권소송에 승소하면서 007 24편 '스펙터Spectre, 2015'가 나올 때까지 오랫동안 스펙터의 수장 블로펠트의 모습을 볼 수 없게 됩니다.

보통 007시리즈가 새로 나오면 보통 세 가지를 궁금해합니다.

1. 이번 편의 제임스 본드를 맡은 배우는 누구인가?

2. 본드 걸로는 누가 출연하는가?

3. 주제가는 누가 부르는가?

〈유어 아이스 온리〉에서는 가장 많은 007 영화를 찍은 3대 제임스 본드 로저 무어Roger Moore가 출연했습니다. 본드 걸은 당대

최고의 청순 미녀 중 한 명인 프랑스 배우 캐롤 부케Carole Bouquet
가 맡았습니다. 당시 많은 남성 관객들이 영화관을 찾으신 이유
중 하나이기도 하죠.

저는 이 영화에 남다른 애정을 가지고 있습니다. 영화에 한 가
지 추억이 스며있기 때문입니다. 제가 글을 깨우치고 동화책 정
도는 스스로 읽게 되자 아버지께서 처음으로 제게 극장을 같이
가자고 하시더군요. 처음으로 가는 영화구경이라 설레기도 했고
글자로 나온다고 하는 자막을 따라갈 수 있을까 하는 걱정도 있
었습니다. 영화의 등급은 중학생 이상은 되어야 관람이 가능했을
것 같은데, 어른과 같이 극장에 들어갔기에 어린이였던 저도 들
어갈 수 있었나 봅니다.

태어나 처음 들어간 극장이 제 눈에는 엄청나게 크게 보였고
007시리즈 특유의 관객을 향해 총구를 들이대는 오프닝 시퀀스
가 지금도 기억이 나요. 하지만 거기까지만 흥미 있었을 뿐 어린
아이가 스크린 위의 자막을 따라 읽는다는 건 생각보다 힘든 일
이었어요. 평소 가로쓰기 방식의 동화책을 읽을 때와는 달리 당
시 자막은 일본식 세로쓰기 방식으로 우측부터 써서 아래로 내

려가는 식이라 읽기가 더 오래 걸렸습니다. 지금은 자막이 스크린 중간 하단에 위치하지만, 당시는 우측중앙 부근에 있었습니다. 영화 내용이 이해가 안 되는 부분도 많아서 기대와 달리 저의 첫 번째 007은 기대엔 못 미쳤었어요. 아직 영화를 소화할 나이가 안됐던 것이지요. 그리고 이듬해 지병을 앓고 계시던 아버지는 밖에 다니지 못할 정도로 몸이 나빠지시기 시작했고 그로부터 2년 뒤 병을 이기지 못하시고 돌아가셨어요. 그래서 이 영화가 아버지와 함께 극장에서 본 첫 번째 영화이자 마지막 영화가 돼버렸습니다.

시간이 흘러 제가 서른 즈음이 된 어느 날 문득 아버지와 1983년에 봤던 007 영화가 다시 보고 싶어졌습니다. 하지만 그 영화가 몇 편인지 정확히 알 수 없었죠. 그때 그 영화를 찾아내기 위해 3편의 후보를 차례로 보았습니다. 이 영화와 13편 〈옥터퍼시 Octopussy, 1983〉, 그리고 두 번째 번외편인 〈네버 세이 네버 어게인Never Say Never Again, 1983〉 이었습니다. 머릿속에 어릴 때 봤던 몇몇 장면들의 기억이 남아 있었고 주연 배우 로저 무어는 확실히 기억하고 있었어요. 영국 개봉은 1981년이었지만 우리나라에는 1983년까지 상영을 했다는 걸 확인하고 나서 이 영화가 그때 아버지와 봤던 영화임을 확신하게 되었습니다. 만약 그때 그날이 아버지와 함께하는 마지막 극장 구경이 될 줄 알았다면 당시 영화를 봤을 때의 그 느낌은 많이 달랐을 것입니다. 오늘 이 순간을 소중하고 감사하게 여기며 살아야 할 것 같아요.

주제가는 영국의 시나 이스턴이 불렀습니다. 007시리즈 최초로 오프닝에 주제가를 부른 가수가 직접 등장하는 영광도 얻었는데 이 기록은 지금도 깨지지 않고 있습니다.

For your eyes only, can see me through the night
당신의 눈에만, 이 밤을 지나면 나를 볼 수 있어요
For your eyes only, I never need to hide
당신에게만은, 난 숨을 필요 없죠
You can see so much in me, so much in me that's new
당신은 내 안에 새로운 많은 것들을 볼 수 있어요
I never felt until I looked at you
당신을 보기 전까진 전혀 알 수 없었어요
For your eyes only, only for you
오로지 그대만을 위해, 당신을 위해

You'll see what no one else can see, and now I'm breaking free

당신은 누구도 볼 수 없는 것을 볼 수 있을 거예요, 그래요. 난 지금 자유로워요

For your eyes only, only for you

당신의 눈에만, 오직 당신에게만

The love I know you need in me, the fantasy you've freed in me

내가 필요한 당신의 그 사랑, 나를 해방해 준 당신의 그 환상

Only for you, only for you

오직 당신을 위해서만

'For your eyes only'는 '특급 비밀'이란 뜻이 있습니다. 여기서는 중의적인 뜻으로 작사한 것 같습니다. 이 곡을 듣고 시나 이스턴의 다른 곡이 궁금해지셨다면, 1980년 발표한 보다 빠른 템포의 유쾌한 곡 'Morning Train(9 to 5)'도 함께 감상해보세요.

사랑을 위하여 (Dying Young, 1991)
1991년 12월 7일 토요일 개봉, 미국

Hillary's Theme(1991) - 제임스 뉴튼 하워드(James Newton Howard)

　우리나라에서는 〈사랑을 위하여〉라는 낭만적인 제목이 붙여졌지만, 원제는 〈Dying Young, 요절天折〉이란 뜻입니다. 연인 중한 명이 불치의 병을 얻어 시한부 삶을 살아가며 벌어지는 슬픈로맨스 영화입니다. 오래된 수제이지만 이 영화는 두 주인공이연인 사이가 아닌 환자와 간병인으로 만나기 때문에 기존의 이야기들과는 약간의 차이가 있습니다. 제목도 그렇고 비슷한 종류의 다른 영화가 이미 여러 차례 말해주었기 때문에 결과가 어찌될지 알면서도 몰입하게 하는 스토리로 큰 사랑을 받았습니다.

　그래도 케니 지와 제임스 뉴튼 하워드의 주제곡 'Dying Young'

이 없었다면 지금까지 이 영화가 기억되고 있을까 생각이 듭니다. 추천해 드리는 곡은 첫 장면에 흐르며 여주인공의 멋진 모습을 더욱 돋보이게 해 준 Hillary's Theme입니다. 줄리아 로버츠가 맡은 배역이 힐러리였어요. 메인테마에서는 건반의 소리가 색소폰에 묻혀서 덜 들리지만, 이 곡은 두 뮤지션의 시너지가 상당한 곡입니다.

곡을 듣고 있으면 빨간 정장을 입고 첫 장면에 등장하는 줄리아 로버츠의 모습이 눈에 그려지는 것 같아요. 저는 메인테마인 Dying Young 보다도 경쾌한 이 곡을 더 많이 좋아했습니다. 영화를 보신 분이라면 남주인공인 빅터가 좋아했던 'All The Way(1961)'의 멜로디가 기억에 남으실 거예요. 영화에서는 R&B가수인 제프리 오스본Jeffrey Osborne 버전이 실려 있습니다. 원곡 가수는 유명 배우 겸 가수인 프랭크 시나트라Frank Sinatra입니다. 힐러리의 테마가 마음에 와 닿으셨다면 제프리 오스본의 'All The Way'도 같이 감상해보세요.

스누피 - 찰리 브라운 크리스마스
(A Charlie Brown Christmas, 1965)
1989년 1월 1일 일요일 KBS2 방영, 미국

Linus and Lucy(1965) - 빈스 과랄디(Vince Guaraldi)

  찰스 슐츠(Charles Schulz)의 대표작 〈스누피(Peanuts)〉는 단
순한 그림체지만 정감이 많이 가는 캐릭터들이 등장합니다. 늘
어수룩하지만 따뜻하고, 자기만의 철학이 뚜렷한 '찰리 브라운',
그와 은은한 우정을 보여주는 반려견 '스누피', 그밖에 다양한 성
격의 친구들이 등장하죠. 각종 상품으로는 지금도 자주 만날 수
있고 만화책과 애니메이션도 잊을 만하면 다시 등장하여 추억을
되새기게 해줍니다. 어릴 적 스누피로 알고 있었던 만화의 원제
가 'Peanuts'임을 알게 되었을 때 왜 제목을 '땅콩'이라고 했을
까? 하고 의아했었지만, 성인이 되어 '보잘것없는'이라는 뜻도

있다는 걸 알게 된 후 이상하게도 저와 비슷한 점이 있는 찰리 브라운과 스누피에 더욱 애정을 가지게 되었습니다.

원작자인 찰스 슐츠는 어릴 적 큰 주목을 받지 못하면서 성장했고, 내성적인 데다 학업성적도 시원치 않았다고 해요. 찰리 브라운이라는 이름만 봐도 알 수 있듯이(찰리는 찰스의 애칭) 찰리 브라운은 작가 본인을 투영한 캐릭터임이 분명하죠. 뭔가 부족해 보이고 말도 느리고 어수룩하지만 그래도 가장 큰 장점은 어린이임에도 자신의 철학이 분명히 서 있다는 점입니다. 애니메이션이나 만화책을 보면 왜 그런 행동과 말을 하는가에 대해 정확하게 이야기하는 모습을 자주 보게 되는데, 그게 바로 Peanuts의 매력인 것 같아요. 사회생활하다 보면, 힘들고 헤쳐가기 어려운 환경과 마주할 수밖에 없습니다. 그러다 보면 주변을 의식하다 보니 나의 의견은 옅어지고, 나만의 철학을 정립한다는 것 역시도 의외로 쉽지 않을 때가 자주 있는 것 같습니다. 찰리 브라운은 비록 나이는 어리지만, 그것을 이미 가지고 있습니다.

피너츠의 주제곡이라 할 수 있는 'Linus and Lucy'. 이 주제곡

은 제목부터가 기가 막힙니다. 저였다면 'Charlie and Snoopy'
라고 했을 것 같거든요. 애정 결핍증이 있어 늘 한 손 엄지손가락
을 입에 넣고 다른 한 손으로는 애정이불을 들고 다니는 라이너
스, 모두에게 까칠하게 굴어도 실상은 가장 현실적인 친구인 루
시. 이 두 남매의 조합이라니 제목에 재치가 녹아 있습니다. 작명
센스만 좋은 게 아니라 빈스 과랄디의 멜로디도 듣다 보면 자연
스레 고개를 끄덕이게 만드는 명품 재즈곡이에요. 오래된 곡임에
도 그만큼 깊은 맛이 있다고 할까요?

　빈스 과랄디는 삼촌의 영향을 받아 성인이 되어 재즈 피아니
스트가 되었다고 해요. 우리나라와도 인연이 있습니다. 그는 미
육군 소속으로 한국전쟁에 참전했기 때문이죠. 연재만화인 피
너츠의 TV 버전을 기획하고 있던 리 멘델슨Lee Mendelson이 택
시를 타고 가다 우연히 라디오에서 나오는 빈스 과랄디의 연주
를 듣고, 섭외에 나서 이 곡을 작곡하게 됐다는 일화가 전해집니
다. 이후 첫 번째 애니메이션 〈찰리 브라운 크리스마스(1965)〉
에 삽입된 이 곡이 사랑을 받으면서 'Peanuts'의 메인테마로 자
리매김하였습니다. 연주는 빈스 과랄디 트리오가 맡았는데, 멤

버는 빈스 과랄디를 빼고 변화가 계속 있었습니다. 이 사운드트
랙을 녹음 할 당시에는 피아노엔 빈스 과랄디, 베이스는 프레드
마샬Fred Marshall, 드럼은 제리 그라넬리Jerry Granelli가 트리오의
멤버였습니다.

이 곡을 들어보려 인터넷을 검색하다 보니 흥미로운 영상을 발
견하게 되었습니다. 라이너스와 루시를 '제리 그라넬리 트리오'
가 연주하는 영상이었습니다. 영상 속 드럼 앞에는 제리 그라넬
리가 앉아 있습니다. 백발이 된 그가 젊은 동료 연주자들과 함께
넘치는 리듬감을 여전히 보여주며 비트를 만드는 그 모습이 큰
감동을 전해줍니다. 꼭 한번 감상해보시길 추천해 드립니다. 이
곡이 마음에 와 닿았다면 〈스누피 – 찰리 브라운이라 불리는 소
년A Boy Named Charlie Brown, 1969〉 중에서 빈스 과랄디의 'Base-
ball Theme(1969)'도 함께 감상해보세요.

라스트 콘서트 (Dedicato A Una Stella, 1976)
1977년 2월 18일 금요일 개봉, 이탈리아

 St. Michel(1976) - 스텔비오 치프라이니(Stelvio Cipriani)

　오리지널 사운드트랙Original Soundtrack 흔히 'OST'라고 부르는
이 단어는 영화나 드라마 등의 배경음악이란 뜻으로 쓰이거나
오리지널 사운드트랙 앨범Original Soundtrack Album을 줄여서 음
반 자체를 일컫기도 합니다. 틀린 말은 아니지만 진정한 오리지
널 사운드트랙은 그 의미와 약간의 차이가 있습니다. 예전 아날
로그 영화필름에는 사운드 트랙이란 부분이 있었는데 여기에 배
우들의 목소리, 효과음, 음악들이 같이 들어가게 됩니다. 과거에
는 목소리가 담긴 트랙, 효과음이 담긴 트랙, 배경음악이 담긴 트
랙이 별도로 존재하고 이를 엮은 사운드트랙과 영상을 합쳐서 상

영했습니다.

1940년대 후반 영화음악을 통한 부가 수익창출 가능성을 감지한 사람들이 음악트랙에 실린 곡들을 모아서 앨범을 만들어 시장에 내놓았고 이를 'Music from The Original Motion Picture Soundtrack'이라 불렀습니다. 참 기네요. 시간이 지나 차츰차츰 줄어서 'Original Soundtrack'까지 오게 된 것입니다. 그래서 예전 영화음악 방송 진행자들은 이런 의미를 염두에 두고, "자, 이번 곡은 오리지널 사운드트랙으로 들어 보겠습니다."라는 멘트를 하곤 했는데요. 그러면 극장에서 상영되는 그 소리 그대로 배우들의 대사, 효과음이 같이 나오는 음악을 틀어주었습니다. 영화를 그대로 들려줬다고 이해하시면 쉬울 것 같습니다.

이 곡은 정통 오리지널 사운드 트랙을 듣는 느낌이 들게 만드는 곡입니다. 이 멋진 곡을 어서 듣고 싶어 플레이를 시키면 음악은 안 나오고 두 남녀 주인공의 대사가 먼저 들리기 시작합니다. 전에는 빨리 멋진 하모니카 연주가 듣고 싶어서 이곡의 앞부분이 상당히 귀에 거슬렸습니다. 하지만 이제는 예전 오리지널 사운드트랙 느낌으로 방송하는 곳이 사라졌기에 그 성가셨던 도입부가 도리어 고전 오리지널 사운드트랙 느낌이 들게 만들어 주었습니다.

음악은 이탈리아의 작곡가 스텔비오 치프라아니가 담당하였습니다. 나이는 더 많지만 비슷한 시기에 활동했던 엔니오 모리꼬네와 달리 그의 영화음악은 국내에 많이 소개 되지 않았습니다. 때문에 엔니오 모리꼬네처럼 다양한 장르의 영화음악을 담당했음에도 그만큼 잘 알려지지 않았어요.

저는 중학생 때 영어 선생님이 추천을 하셔서 보게 됐어요. 연인 중 한 명이 불치병을 얻게 되는 내용은 당시에도 이미 흔했음에도 불구하고 지루하지는 않았습니다. 요즘에 다시 봐도 그때만큼 재미있을지는 잘 모르겠지만, 음악은 지금 들어도 그때 그 느낌 그대로입니다. 세월을 뛰어넘는 이 명곡은 영화에 프랑스의 몽생미셸Mont St. Michel 수도원이 영화의 배경으로 등장하기 때문에 '생 미셸'이란 이름이 붙은 것 같습니다. (보통 방송에서는 영어 발음인 '세인트 미셸'이라고 불렀습니다)

곡을 듣고 스텔비오 치프리아니의 다른 곡도 들어 보고 싶어지셨다면 〈베니스의 사랑Anonimo Veneziano, 1970〉 중에서 메인테마인 'Anonimo Veneziano(1970)'도 함께 감상해 보세요.

용사들을 위하여 (For the Boys, 1991)
1999년 2월 27일 토요일 KBS2 방영, 미국

 Every Road Leads Back to You(1991) - 배트 미들러(Bette Midler)

Old friend, here we are,

내 오랜 친구여,

After all the years and tears And all that we've been through

많은 시간 눈물과 역경의 세월을 지나 우리 여기에 서 있네

It feels so good to see you

너의 얼굴을 보니 기분이 정말 좋아지는구나

Lookin' back in time, There've been other friends and other lovers,

삶을 되돌아보니 거기엔 다른 친구들도 있었고 연인도 있었지만

But no other one like you

너 같은 친구는 없었어

All my life, no one ever has known me better.

살아가는 동안 너만큼 나를 잘 아는 사람도 없었지

I must have traveled down a thousand roads.

분명 내 삶의 여정에는 수백, 아니 천 개의 길이 있었을 거야

Been so many places, seen so many faces,

거기엔 수많은 곳, 수많은 사람의 얼굴이 있었지

Always on my way to somethin' new

그리고 나는 늘 새로운 것을 향해갔어

Oh, but it doesn't matter, Cause no matter where I go,

하지만 이제 내가 어디로 가는 건 중요하지 않아

Every road leads back, Every road just seems to lead me back to you

내가 어떤 길로 가더라도 너에게 돌아가는 길로 나를 인도해 줄 것 같으니까

미국의 배우이자 가수 겸 코미디언인 만능 엔터테이너 배트 미들러가 노래한 이 곡은 같은 사운드트랙의 'P.S. I Love You', 'In My Life' 등에 밀려 조금은 덜 알려진 노래입니다. 마음을 움직이는 노랫말과 시원시원한 배트 미들러의 가창력이 합쳐진 빼놓기 아까운 좋은 곡입니다. 영화음악 팬들은 배트 미들러 라고 하면 빌보드 치트 1위와 그래미상을 수상 했던 영화 〈두 여인Beaches,

1988〉의 주제가 'Wind Beneath My Wings'를 떠올릴 것입니다. 하지만 그 곡 못지않은 좋은 곡임에 분명합니다.

전장戰場의 위문공연 가수를 연기한 배트 미들러는 많은 노래를 직접 소화해 냅니다. 2차 세계대전, 한국전쟁, 베트남 전쟁을 거치며 본인 역시 남편과 아들을 잃는 슬픈 삶 속에서도 노래해야만 하는 한 가수의 이야기입니다. 국내에도 사운드트랙은 입소문이 나서 두루 알려졌으나 이제 영화를 보기는 참 힘든 작품입니다.

우리나라에는 개봉도 하지 않았는지 개봉일을 찾을 수 없어서 TV 방영 일자를 적어 놨습니다. KBS 2TV는 1980부터 2007년까지 매주 토요일 밤에 '토요명화'라는 이름으로 영화를 방영해 줬습니다. 홈비디오가 구축되기 전까지 많은 영화팬들의 좋은 친구였죠. 더불어 KBS 1TV에선 1969년부터 2014년까지 일요일 밤에 '명화극장'을, MBC에선 1969년부터 2010년까지 토요일 밤에 '주말의 명화'를, SBS는 1991년부터 2011년까지 금요일 밤에 '영화 특급'이란 제목으로 여러 영화를 방영해줬습니다. 이 프

Promise Me You Will Remember - Harry Connick Jr.

Why Does It Hurt So Bad - Whitney Houston

L'Amant - Gabriel Yared

Before I Fall In Love - Coco Lee

Jo Ann's Song - David Sanborn

Cancion Mixteca - Ry Cooder

It Might Be You - Stephen Bishop

Fallen - Lauren Wood

Plaza of Execution - James Horner

Magic Waltz - Ennio Morricone

Amapola - Joseph M. Lacalle

The Moment of Truth - Dave Grusin

Love Is My Decision - Chris de Burgh

La La Means I love You - The Delfonics

Wild Theme - Mark Knopfler

Theme From Taxi Driver - Bernard Herrmann

Let's Here It For The Boy - Denice Williams

로그램들 덕분에 안방극장이란 이름도 생긴 것 같아요.

그럼, 배트 미들러의 다른 곡도 한 곡 더 들어볼까요? 줄리 골드 Julie Gold의 원곡을 1990년에 리메이크해서 빌보드 차트 2위까지 올려놓은 'From a Distance(1985)'를 들어보겠습니다. 당시 미국-이라크 걸프전 파병 용사를 위해 부른 곡인데요. 이 영화와 상통하는 부분이 있기도 하고 영화 속 배트 미들러가 연기한 딕시가 그대로 나온 것 같은 느낌이 듭니다.

인터미션
(Intermission)

한 곡 한 곡 음악과 함께 읽다 보니 어느덧 이야기의 절반이 지나갔습니다. 이제 한번 쉬어갈 시간이 된 것 같아요. 뮤지컬이나 영화의 상영 시간이 3시간 이상 긴 작품의 경우 중간에 쉬는 시간이 있습니다. 그 시간을 이용해서 화장실도 가고 기지개도 한번 켜면서 굳어진 몸도 풀고 마른 목도 달랠 겸 쉬는 시간이 주어지는데 이젠 외래어로 굳어져서 많은 분이 그냥 인터미션이라고 부릅니다. 어린이, 특히 유아를 대상으로 하는 만화나 영화의 경우 30분에 한 번 쉬는 경우도 봤습니다.

제가 처음 극장에 갔을 때는 1983년이었습니다. 1980년대 극장에는 시작종이 울리는 극장이 있었습니다. 화재경보 수신반에 달린 경종이 울릴 때 만큼의 큰 소리는 아니지만 제법 큰 소리의 벨이 울렸던 기억이 있습니다. 지금의 극장은 영화 시작하기 전 엄청난 양의 광고와 예고편을 봐야 상영을 시작하지만, 당시엔 국가 행정을 홍보해주는 대한뉴스를 보고 애국가를 들어야 영화를 볼 수 있었습니다.

그때도 극장 내 간식거리로 팝콘이 있었지〔…〕 보기 힘든 구운 오징어를 드시는 분들도 꽤 연배우의 사진이나 영화의 스틸 컷을 구하기〔…〕 장 출구 안쪽에서 영화의 설명과 사진이 곁들〔…〕의 영화 팜플렛도 팔았습니다. 구운 오징어랑〔…〕까지 구매하면 영화티켓 가격의 60% 정도 되〔…〕도 팝콘 큰 사이즈에 음료수까지 마시면 그렇게〔…〕않은 것은 영화를 보고자 하는 관객들의 기대감〔…〕가 끝나봐야 알지만 모두 들어갈 때는 재미있을〔…〕고 입장하죠.

앞으로 더 흥미로운 이야기와 더 좋은 음악을 민〔…〕책장을 넘겨보세요. 인터미션 시간에는 저처럼 영〔…〕은 분들을 7권에 달하는 마르셀 프루스트Marcel Pro〔…〕린 시간을 찾아서A La Recherche Du Temps Perdu, 1913〔…〕만든 영화죠? 영화 〈러브레터ラヴレター-, 1995〉 중에서 호〔…〕麗美의 'Winter Story(1995)'를 들으며 쉬어가겠습〔…〕

Part II. Team Post Meridiem

저녁, 밤에 함께 하면 좋을 영화음악 17

팀명은 '오후'라고 이름 붙였지만, 저녁과 밤에 초점을 맞추었습니다. 하루해가 저물어 태양 빛이 거의 사라질 때쯤의 저녁 하늘은 정말 예쁩니다. 산이나 건물에 가려 잘 보이지 않는 지평선 부근에는 자주색 하늘이 보이고, 그 위에 하얀 하늘과 남색 하늘이 켜켜이 이어져 머리 위로 밤하늘을 데리고 옵니다.

대부분 잠들어 있는 조용한 밤에 창밖을 바라본 경험이 누구에게나 있을 겁니다. 나만 깨어 무언가를 하고 있을 줄 알았는데 여전히 많은 사람이 잠들지 않고 무언가를 하고 있을 때도 있었고, 예상대로 역시나 대부분 잠들어 있던 적도 있었습니다. 밤이란 여러 가지 생각이 들게 하는 시간이기도 하고 하루의 고단함에 아무 생각이 없어지기도 한 시간입니다.

밤은 놀기 좋은 시간일 때도, 잠자기 좋은 시간일 때도, 무서운 시간일 때도, 한참 일하고 있을 때도 있었어요. 고단했던 하루의 끝에서 곤하게 잠이 들 때, 늦은 밤까지 일하며 집에 돌아가지 못할 때, 야근을 마치고 혹은 늦게까지 공부하다 밤에 집으로 돌아가는 그 길에서 좋은 친구가 되어 준 곡들을 만나볼까요?

대부 3 (Mario Puzo's The Godfather Part III, 1990)
1990년 3월 16일 토요일 개봉, 미국

Promise Me You Will Remember(1990) -
해리 코닉 주니어(Harry Connick Jr.)

〈대부〉를 일컬어 '이 영화는 몇 살에 보는가에 따라 전해지는 느낌이 다른 수작이다' 라고 하시는 분들도 있습니다. 저도 그 말에 동감합니다. 〈대부1〉은 3번, 〈대부2〉는 2번, 〈대부3〉은 1번 그리고 원작소설 1번. 서는 이렇게 보았습니다. 10~20대에 봤던 대부는 갱스터 무비였으나 30대에 다시 본 대부 전편全篇은 형식만 느와르 장르를 취했을 뿐 가족을 주제로 한 영화로 다시 보였고 개봉 후 악평을 받은 〈대부 3〉도 대작의 마무리를 짓는데 전혀 손색이 없어 보였습니다.

〈대부〉는 마리오 푸조Mario Puzo의 동명 소설을 원작으로 하고 있습니다. 〈대부2〉까지는 원작소설의 내용을 기반으로 하고 있지만, 3편은 마리오 푸조가 영화를 위해 창작한 시나리오로 영화를 만들었습니다. 1편에서는 아버지를 사랑하는 아들의 마음으로 보스가 되는 마이클의 모습을 담았고, 2편에서는 조직과 가족을 지키기 위해 더욱 냉철하게 변해가는 대부와 가장의 모습을 담았습니다. 3편에서는 가족과 조직을 지키기 위해 그토록 모질고 냉혹하게 대부의 자리를 지켜왔지만 결국 모든 것을 내려놓게 되는 한 남자, 한 사람의 일생을 잘 마무리하고 있습니다.

3편의 종반부에는 그동안 대부 마이클 콜레오네가 사랑했던 사람들의 춤추는 장면이 플래시백 되는 신이 있습니다. 이 장면은 3부작의 내용과 주제를 아주 짧은 시간에 총정리하는 명장면이라 생각해요. 1편에 나왔던 아버지와 여동생이 결혼식 피로연에서 경쾌하게 춤추는 모습, 2편에 나왔던 자신과 아내와의 차분한 댄스 장면, 3편에 나왔던 자신과 딸이 함께 춤추는 장면. 가정을 이루고 자녀도 낳은 30대에 감상한 대부3의 그 플래시백에서 저도 모르게 눈가가 뜨거워졌습니다. 50대, 60대에 보는 대부는 또 어떤 느낌일까요? 수년 전 봤던 원작소설이 다시 보고 싶어집니다.

　주제가는 미국의 유명 재즈 가수 '해리 코닉 주니어Harry Connick Jr.'가 라스트신과 딱 어울리게 참 잘 불러냈습니다.

Promise me you'll remember this love together today
오늘 함께 한 이 사랑을 잊지 않을 거라 약속해줘
We may not have tomorrow, It's not for us to say
말할 수 없어, 우리에게 내일은 없을 수도 있다는 걸
Fate isn't kind to lovers, It breaks the hardest hearts
운명은 연인들에게는 불친절하지, 힘든 이 마음을 아프게 해
Promise you'll remember, How good we are
약속해줘, 우리가 얼마나 행복했는지 기억하겠노라고

　이 곡이 마음에 와 닿으셨다면 〈시애틀의 잠 못 이루는 밤Sleepless in Seattle, 1993〉 중에서 해리 코닉 주니어의 'A Wink and a Smile(1993)'도 함께 들어보세요.

적들을 미워하지 마라. 네 판단력이 흐려진다.

사랑을 기다리며 (Waiting To Exhale, 1995)
1996년 4월 5일 금요일 개봉, 미국

 Why Does It Hurt So Bad(1995) - 휘트니 휴스턴(Whitney Houston)

Why does it hurt so bad? Why do I feel so sad?

왜 이렇게 마음이 아픈 거야? 왜 이렇게 슬픈 거야?

Thought I was over you,   But I keep crying When I don't love you

너를 사랑하지 않게 냈을 때, 난 너와 끝났다고 생각했었어. 하지만 계속 눈물이 났어

So why does it hurt so bad I thought I had let you go

왜 이렇게 마음이 아픈 거야? 난 너를 보내줘야 한다고 생각했었어

So, why does it hurt me so

마음이 왜 이렇게 아픈 거야?

I gotta get you outta my head. It hurts so bad

내 머릿속에서 너를 끄집어내야 해. 그게 내 맘을 너무 아프게 해

대중에게 참 많은 사랑을 받은 휘트니 휴스턴이지만 개인사는 편안하지 못했습니다. 자고로 가정이 화평해야 만사가 잘 풀리는 법이죠. 하지만 그러지 못했음에도 본인에 일에서 최고의 자리에 섰다는 것은 정말 대단한 일인 것 같습니다. 휴스턴이 인기를 얻자 가족들은 모아놓은 재산을 낭비하기 시작했고, 1990년대 인기가수 바비 브라운 Bobby Brown과 결혼한 이후는 가정폭력과 약물중독에 힘든 시간을 보냈습니다.

테리 맥밀란 Terry McMillan의 동명 소설을 영화화한 이 영화 〈사랑을 기다리며〉는 영화 자체보다는 사운드트랙으로 더 유명하죠. 저 역시 영화는 보지 못했습니다. 사운드트랙은 미국의 유명 싱어송라이터이자 프로듀서 베이비페이스가 맡았고 휘트니 휴스턴 이외에도 토니 브랙스턴, 그룹 티엘씨 등 유명 흑인 가수들의 곡들이 실려있습니다. 밤에 듣기엔 더없이 좋은 곡입니다. 이 곡이 마음에 와 닿으셨다면 〈이집트 왕자 The Prince Of Egypt, 1998〉 중에서 머라이어 캐리 Mariah Carey와 함께 불러 아카데미 주제가상을 받은 'When You Believe(1998)'도 함께 감상해 보세요.

연인 (L'Amant, 1992)
1992년 6월 20일 토요일 개봉, 프랑스

L'Amant(1992) - 가브리엘 야레(Gabriel Yared)

　1992년에는 파격적인 노출로 화제가 된 영화가 두 편 있었습니다. 공교롭게도 비슷한 시기에 개봉을 했는데, 광고에서도 늘 자극적인 문구로 두 작품을 홍보했어요. 분명 관객의 호기심을 자극해 흥행을 유도하기 위해서 그랬겠죠. 바로 〈원초적 본능Basic Instinct, 1992〉과 〈연인L'Amant, 1992〉입니다. 원초적 본능은 누가 봐도 에로틱 스릴러지만 소개해 드리는 연인은 '외설인가? 예술인가?'라는 광고 문구가 있었을 만큼 노출은 있되 무언가 느낌이 다른 영화입니다. 이유는 프랑스의 소설가 마르그리트 뒤라스Marguerite Duras의 원작이 있기 때문이라고 생각해요. 그녀는 영화 〈히로시마 내 사랑Hiroshima, Mon Amour, 1959〉, 〈모데라토 칸타빌레Moderato Cantabile, 1960〉등의 영화의 각본을 맡기도 한 재주가 많은 사람입니다. 연인으로는 프랑스 최고문학상인 공쿠르상과 헤밍웨이 상을 수상 하였습니다.

  영화는 원작의 내용을 잘 따르고 있는데요. 다만 원작과 달리 시간대를 오가지는 않고 시간의 순서에 따라 풀어가고 있습니다. 주인공 소녀에겐 두 명의 오빠가 있는데 엄마의 애정은 큰 오빠에게 크게 치우쳐 있습니다. 부모의 편애는 형제 사이에 부작용을 낳기 마련인데 이상하게도 많은 사랑을 받은 큰 오빠가 마약에 손을 대며 포악해져 가고 작은 오빠는 그런 형의 기세에 눌려서인지 유약하기만 합니다. 자연히 가정이 순탄할 리가 없겠죠. 막내인 소녀는 중국인 부유층 유부남 아저씨와의 불장난으로 참아두었던 외로움을 대신합니다. 이 영화를 명작으로 꼽는 분들이 감동하셨다 하시는 부분은 라스트신인데요. 보는 이에 따라서 감동적으로 와 닿을 수도 있고 잘 이해할 수 없다는 의견이 나뉘는 부분입니다. 저도 두 번을 봤음에도 아직까진 이뤄질 수 없는 사랑에 슬픈 게 아니라 유부남 아저씨에게 사랑을 줄 수밖에 없었던 소녀의 인생이 불쌍해서 슬펐습니다. 하지만 원작자인 마르그리트 뒤라스는 이야기합니다. 두 사람은 '연인'이었다고.

영화는 〈장미의 이름Le Nom De La Rose, 1986〉, 〈베어L'Ours, 1988〉를 연출한 프랑스의 거장 장 자크 아노Jean Jacques Annaud가 맡았고 음악은 레바논 태생의 작곡가 가브리엘 야레Gabriel Yared가 맡았습니다. 서정적이면서 짙은 감성으로 나름의 두터운 팬층을 가지고 있는 영화음악가입니다. 놀라운 점은 이분이 법학 전공이고 음악은 거의 독학으로 공부했다는 점입니다. 천재가 아니고서는 어려운 이야기인 것 같아요. 이럴 때 보면 타고 나는 재능이 부럽기만 합니다. 이 곡은 주인공 소녀가 애정을 쏟을 수 있는 사람을 만난 것에 대한 기쁨과 동시에 소유할 수 없는 사랑에 대한 아쉬운 마음을 한 곡으로 잘 표현한 것 같습니다. 특히 마음을 녹이는 하프연주가 멋진 곡입니다.

저는 가브리엘 야레하면 프랑스 감독 '장 자크 베넥스Jean-Jacques Beineix'의 〈베티블루 37.2°FBetty Blue, 1986〉 사운드트랙 중에서 'Betty et Zorg(1986)'를 최고로 꼽고 있습니다. 가브리엘 야레의 곡이 더 들어보고 싶어지셨다면 이 곡도 함께 들어보시면 좋으실 것 같습니다.

런어웨이 브라이드 (Runaway Bride, 1999)
1999년 8월 14일 토요일 개봉, 미국

 Before I Fall In Love(1999) - 코코 리 (Coco Lee)

　　결혼식만 하면 달아나는 신부의 이야기를 다룬 로맨틱 코미디
인 이 영화는 부드러운 로맨스 장르에 일가견이 있는 게리 마샬
Garry Marshall의 작품입니다. 이 분은 〈빅Big, 1988〉, 〈그들만의 리
그A League Of Their Own, 1992〉를 연출했던 페니 마샬Penny Mar-
shall의 오빠입니다. 오빠와 마찬가지로 페니 마샬 역시 따뜻한
영화를 주로 만들었죠. 언뜻 짐작으로는 유, 소년기 남매의 성장
과정이 괜찮았던 것 같습니다. 형제간 사이도 좋았던 것 같아요.
같은 환경에서 같이 자랐지만 커서는 다른 길로 가는 형제도 있
고, 서먹서먹하거나 불편한 사이인 형제들도 있습니다. 자랄 때

도 비슷한 것을 좋아하고 어른이 되어서도 사이좋게 살아가는 형제의 모습은 부모에게 있어서는 자식들에게 늘 바라는 일이죠. 평범해 보이기도 하고, 쉬워 보이기도 하지만 결코 쉬운 일은 아닌 것 같습니다.

여하튼 이 두 마샬 남매는 비슷한 정서와 표현방법을 가지고 두 사람 모두 다 영화감독으로 자리를 잡았습니다. 게리 마샬의 대표작은 단연 〈귀여운 여인Pretty Woman, 1990〉입니다. 귀여운 여인의 개봉 이후 거의 10년의 세월이 지나 두 주인공 줄리아 로버츠Julia Roberts, 리차드 기어Richard Gere를 다시 불러 모아 만든 영화입니다. 물론 전작을 넘어서지는 못했지만 나름의 팬층은 확보했습니다. 사운드트랙은 영화의 인기를 뛰어넘은 것 같아요. 앨범에는 홍콩 출신의 코코 리가 부른 'Before I Fall In Love'가 수록되어 있습니다.

My heart, says we've got something real

우리 사이엔 진짜 무언가 있다고 내 마음이 이야기하고 있어요

Can I trust the way I feel

이런 나의 마음, 믿을 수 있는 걸까요?

'Cause my heart's been fooled before

내 마음은 전부터 줄곧 나를 속여 왔거든요

Am I just seeing what I want to see

나는 그저 내가 보고 싶은 것만 보는 걸까요?

Or, is it true, could you really be

아니면 나의 그 사람이 되어 줄 수 있다는 게 정말인가요?

Someone to have and hold with all my heart and soul

내 모든 마음과 진심을 담아 함께하고 싶은 그 사람인지

I need to know before I fall in love

내가 사랑에 빠지기 전에 알고 싶어요

Someone who'll stay around through all my ups and downs

좋을 때나 우울한 일을 겪을 때도 내 곁에 머물러줄 그 사람인지

Please tell me now before I fall in love

지금 말해주세요. 내가 사랑에 빠지기 전에

가사도 좋고 코코 리의 깨끗한 목소리와 R&B 창법이 잘 어우러진 아름다운 곡입니다. 코코 리는 유색인종에 있어 보수적인 미국 아카데미 시상식에서 주제가를 부른 유일한 아시아인이라는 타이틀을 가지고 있어서 참 부러워했습니다. 15년 뒤, 영화 〈유스Youth, 2015〉 주제가 'Simple Song #3'를 부른 우리나라 최고의 소프라노 조수미 님이 후보에 오르면서 정말 기대감이 컸었습니다. 그리고 그 무대에 선 모습을 볼 수 있기를 진심으로 바랐습니다. 하지만 공연은 성사되지 못했는데요. 이유는 아카데미 측에서 다소 긴 이 곡의 길이를 좀 줄이기를 희망했었기 때문입니다. 조수미 님과 작곡자인 데이빗 랭David Lang은 원곡 그대로를 영화팬들에게 들려주고 싶었기 때문에 이를 거절한 것이죠. 아쉬웠지만 그 강단이 대단해 보였습니다. 그런 배경이 수상자 선정에 영향을 주었는지는 알 수 없지만, 주제가상은 결국 007 24편 스펙터Spectre, 2015에게로 돌아갑니다.

코코 리는 중국, 미국, 우리나라에서도 많은 인기를 누린 가수입니다. 음색도 좋고 가창력도 뛰어나기 때문인데요. 영화음악에서도 좋은 발자취를 남겼습니다. 디즈니 애니메이션 〈뮬란Mulan,

1998〉에서는 'Reflection'을 〈와호장룡臥虎藏龍, 2000〉에서 '月光
愛人(영어명 : A Love Before Time)'을 불러서 많은 사랑을 받
았습니다.

　이 곡이 마음에 드셨다면 두 가지 제안을 드려봅니다. 〈뮬란〉의
애니메이션 우리말 더빙 버전에서 'Reflection'(더빙판 제목 : '내안
의 나를')을 가수 박정현 님이, 실사판 〈뮬란Mulan, 2020〉에서는 악
동뮤지션의 이수현 님이 불렀어요. 세 가수의 노래를 비교해보
면 재미있을 것 같고요. 아카데미 주제가상 후보에 올랐던 두 곡
'月光愛人(영어 버전보다는 중국어 버전을 추천해 드립니다)'과 'Simple
Song #3'를 들어보시는 것도 재미있으실 것 같습니다.

지금 말해주세요. 내가 사랑에 빠지기 전에.

멜 깁슨의 불타는 태양 (Tequila Sunrise, 1988)
1995년 8월 26일 토요일 캐치원 방영, 미국

 Jo Ann's Song(1988) - 데이빗 샌본(David Sanborn)

1990년대 말 케이블 TV 시대가 열리면서 다양한 채널이 생겼고, 종일 방송으로 전환하면서 재방송, 삼방송도 많이 늘어났습니다. 볼거리도 많아지고 안방에서 영화를 볼 기회도 늘어났어요. 이 영화는 우리나라에선 개봉하지 않았었고 TV에서도 케이블 방송국에서만 방영해 줬습니다. 제목은 〈멜 깁슨의 불타는 태양〉. 유명배우는 나오는데 영화의 인지도가 낮은 경우 제목이 이렇곤 했습니다.

테킬라 선라이즈는 멕시코의 일출에서 영감을 얻어 만든 칵테일 이름입니다. 멕시코는 대서양과 태평양을 함께 끼고 있는 만큼 아름다운 곳이 많이 있나 봅니다. 이 영화 때문에 테킬라 선라이즈는 들어 본지는 아주 오래됐으나 지금까지도 마셔보지 못해서 어떤 환상을 가지고 있는 칵테일입니다.

소개해 드리는 곡 'Jo Ann's Song'은 여주인공인 조 앤(미셸 파이퍼 분)의 테마입니다. 재즈피아니스트이자 작곡가인 데이브 그루신이 작곡하고 색소포니스트 데이빗 샌본David Sanborn이 연주한 곡입니다. 앞서 소개해 드렸던 케니 지가 소프라노 색소폰의 고음으로 청중을 매료시켰다면 데이빗 샌본은 알토 색소폰을 주특기로 하고 있죠. 알토 색소폰은 연주를 듣다 보면 악기가 우는 듯한 소리가 나는데 이게 특유의 매력인 것 같습니다. 오래된 곡임에도 촌티 하나 없이 깔끔합니다. 영화 제목 때문에 휴양지에서 밤에 들으면 참 좋을 것 같은 생각이 들어요.

알토 색소폰의 매력에 끌리셨다면 〈리썰 웨폰2Lethal Weapon 2, 1989〉 사운드트랙 중에서 'Riggs(1989)'도 꼭 한번 들어보시길 추천해 드립니다. 리썰 웨폰 4부작은 마이클 캐먼Michael Kamen

이 전부 음악을 맡았습니다. 그와 함께 에릭 클랩튼Eric Clapton, 데이빗 샌본이 1편부터 4편까지 계속 참여하였는데요. 주인공인 릭스의 테마는 숨은 명곡 중 하나입니다. 이들 세 뮤지션이 보여 주는 멋진 협연을 놓치지 마세요.

우리는 서로를 선택했다고!

파리 텍사스 (Paris, Texas, 1984)
1987년 8월 29일 토요일 개봉, 프랑스, 독일

Cancion Mixteca(1912) - 라이 쿠더(Ry Cooder)

소개해 드리는 곡의 원곡은 멕시코의 호세 로페스 알라베스Jose Lopez Alavez가 불렀습니다. 100년도 넘은 오래된 곡임에도 듣고 있노라면 아련한 그 무언가가 있는 좋은 곡입니다. 사운드 트랙에는 영화 속 주인공 트래비스 역할을 맡았던 해리 딘 스탠튼 Harry Dean Stanton이 부르고 라이 쿠더Ry Cooder가 연주한 버전이 실려 있습니다. 기타에 일가견이 있는 라이 쿠더인 만큼 잔잔하면서 담백한 연주를 보여주고 해리 딘 스탠튼은 말하지 않으면 그분인 줄 모를 만큼 놀라운 가창력을 보여줍니다.

쿠바하면 떠오르는 영화가 있죠? 〈부에나 비스타 소셜 클럽Buena Vista Social Club, 1999〉속의 그 기타리스트가 바로 라이 쿠더였다는 걸 알게 되었을 때 참 놀랐습니다. 이 곡 때문에 제게 라이 쿠더는 컨트리, 포크 기타리스트의 이미지가 강했기 때문이에요. 부에나 비스타 소셜 클럽에서 나왔던 'Chan Chan(1985)'은 한 번에 탁 귀에 꽂히는 곡은 아니지만, 호두를 먹는 느낌처럼 씹을 수록 고소한 맛이 나는 그런 곡이죠. 라이 쿠더와 영화음악과의 인연은 서부 영화 〈롱 라이더스The Long Riders, 1980〉 부터 출발합니다. 그러다 독일의 명장 빔 벤더스Wim Wenders와 처음 만나 작업한 영화가 바로 〈파리 텍사스〉입니다.

빔 벤더스의 고향은 뒤셀도르프입니다. 독일 통일 전에는 서독에 속해있던 도시입니다. '서독'이란 이름으로 부르는 사람이 이제는 없지만 제가 어렸을 때는 빵집, 안경원 이름 앞에 '서독'이 붙은 경우가 꽤 있었습니다. 그래서 '서독'이란 단어는 어딘지 모르게 친근한 느낌이 있습니다. 거기에다 차두리 선수가 현역시절에 뒤셀도르프에서 뛴 기억이 있어 그런지 가본 적이 없는 곳임에도 왠지 낯설지가 않습니다.

영화는 미국의 소설가 샘 셰퍼드Sam Shepard의 소설 〈모텔 연대기Motel Chronicles, 1983〉를 원작으로 하고 있습니다. 원작자인 샘 셰퍼드 직접 각본을 맡았고 라이 쿠더의 구슬픈 기타 연주, 빔 벤더스의 연출력 삼박자가 어우러져 1984년 칸 영화제에서 황금종려상을 수상 하였습니다. 당대 서독 최고 미녀 배우 중 한 명인 나스타샤 킨스키Nastassja Kinski가 주인공인 트래비스의 아내역으로 출연하였습니다. 하지만 등장은 중반쯤이니 그녀를 보려고 극장에 간 사람들은 화가 좀 났을 것 같습니다.

모든 것을 잃고 방황하는 한 남자, 그 남자를 사랑했었던 한 여자, 그리고 그 두 사람에게 버림받은 아들이 나옵니다. 남자가 아들을 아주 오랜만에 만나 함께 엄마를 찾아가는 과정과 그 결말을 보여주는 이야기입니다. 시종일관 답답하고 슬픈 영화입니다. 하지만 그래서 더욱 기억에 많이 남는 것 같아요. 남주인공인 트래비스가 아내, 아들과 함께 가장 행복했던 시절을 떠올리면서 비디오로 촬영한 영상을 보는 장면에서 흘러나왔던 곡이 바로 이 곡 'Cancion Mixteca'입니다. 이 곡이 있었기에 그 장면이 많은 이들의 기억 속에 오롯이 남게 해준 명곡입니다. 라이 쿠더의 기타 연주가 마음에 와 닿으셨다면 'I Think It's Going To Work Out Fine(1979)'도 이어서 함께 감상해보세요.

투씨 (Tootsie, 1982)
1983년 9월 10일 토요일 개봉, 미국

 It Might Be You(1982) - 스테판 비숍(Stephen Bishop)

〈추억The Way We Were, 1973〉, 〈아웃 오브 아프리카Out Of Africa, 1985〉로 유명한 시드니 폴락Sydney Pollack 감독의 〈투씨〉는 남자 배우인 더스틴 호프만Dustin Hoffman이 여장을 하고 출연한 영화 입니다. 여 주인공으로 나온 제시카 랭Jessica Lange은 이 영화로 아카데미, 골든글로브 모두 여우조연상을 수상 하였습니다. 로맨 틱 코미디이지만 나름의 감동이 있기에 지금도 기억하시는 분들 이 꽤 많습니다. 과거엔 TV에서도 자주 방영해 줬었는데 지금은 잘 해주지 않더라고요.

저는 영화보다는 스테판 비숍Stephen Bishop이 부른 주제가 'It Might Be You(1982)'를 정말 좋아했기 때문에 이 영화를 기억하고 있습니다. 부드러운 음색, 로맨틱한 가사, 마을에 오랫동안 서 있는 커다란 나무처럼 시간이 지나도 변함없이 아름다운 멜로디, 모든 것이 갖춰진 곡입니다. 이 곡은 앞서도 말씀드린 적이 있는 데이브 그루신Dave Grusin의 곡입니다. 내 곁을 찾아온 이성이 바로 나의 그 사람일지 모른다는, 아니 틀림이 없다는 가사가 학창시절 참 마음에 들었습니다.

Time...I've been passing time watching trains go by, All of my life
달리는 기차를 바라보며 시간을 보내고 있어요
Lying on the sand watching sea birds fly
모래 위에 누워 바닷새들이 날아다니는 걸 바라보고 있죠
Wishing there would be someone waiting home for me
집에 가면 나를 기다리는 누군가가 있었으면 좋겠다고 생각하면서요
Something's telling me it might be you
무언가가 그 사람이 당신일지 모른다고 하네요
It's telling me it might be you, All of my life
그 사람이 당신일지 모른다고요

Looking back as lovers go walking past, All of my life

연인들이 나를 지나쳐갈 때 뒤를 바라보며

Wondering how they met and what makes it last

저 사람들은 어떻게 만났는지, 어떻게 관계를 지속했는지 궁금해했죠

If I found the place, Would I recognize the face?

나도 그곳을 찾으면, 내 사랑의 얼굴을 알아볼 수 있을까?

Something's telling me it might be you

무언가가 그 사람이 당신일지 모른다고 이야기하고 있어요

Yeah, it's telling me it might be you

그 사람이 당신일지 모른다고

(중략)

I've been saving love songs and lullabies

당신을 위한 사랑의 노래와 자장가가 있어요

And there's so much more No one's ever heard before

누구도 들어보지 못한 노래를 많이 가지고 있죠

Something's telling me it might be you

무언가가 그 사람이 당신일지 모른다고 하네요

Yeah, it's telling me it must be you

그래요 그 사람이 당신이 틀림없다고요

And I'm feeling it'll just be you

그 사람이 바로 당신이라고

이 곡이 마음에 와 닿으셨다면 두 가지 제안을 드리려 합니다. 스테판 비숍의 곡을 한 번 더 듣고 싶으시면 영화 〈미스터 아더 Arthur〉 중에서 'It's Only Love(1981)'를 들어보시고, 데이브 그루신의 멜로디가 맘에 드셨다면 같은 사운드트랙에 실려 있는 'An Actors Life'도 함께 감상해보세요.

귀여운 여인 (Pretty Woman, 1990)
1990년 9월 15일 토요일 개봉, 미국

Fallen(1989) - 로렌 우드(Lauren Wood)

〈귀여운 여인〉은 게리 마샬 감독의 대표작이자 할리우드 대표
배우 중 한 명인 줄리아 로버츠의 출세작이기도 합니다. 신데렐
라 이야기가 세대를 넘어 계속 만들어지는 걸 보면 자신이 가지
고 있는 기반상승에 대한 욕구는 동서고금을 막론하고 누구에게
나 있는 것 같습니다. 거기에 영화 속 두 주인공처럼 인물까지 뛰
어나면 관객이 받는 대리 만족의 쾌감이 더 했을 것입니다.

음악은 제임스 뉴튼 하워드가 맡았습니다만 스웨덴의 록 밴드
록시트Roxette의 'It Must Have Been Love(1987)', 나탈리 콜
Natalie Cole의 'Wild Women Do(1990)', 주제가라고 할 수 있는

미국 로큰롤 가수 로이 오비슨Roy Orbison의 'Oh! Pretty Wom-
an(1964)' 등 좋은 곡들로 채워져 있어서 그런지 앨범에는 영화
음악 팬들로부터 사랑을 받은 제임스 뉴튼 하워드의 사랑의 테마
'He Sleeps'조차 들어가 있지 않습니다. 이런 대단한 곡들 사이
에서 'Fallen' 역시 많은 사랑을 받았는데요. 지금까지도 꾸준히
방송을 탈 만큼 나름의 위력을 가진 곡입니다.

 싱어송 라이터인 로렌 우드는 이 곡과 마이클 맥도널드Michael
McDonald와 함께 부른 'Please Don't Leave(1979)' 말고는 큰 히
트곡이 없어서 로렌 우드의 팬이 들으시면 싫어하실 수 있겠지
만, 원 히트 원더One-Hit Wonder : 한 개의 싱글앨범이나 곡만 큰 흥행을
거둔 아티스트 가수라고 해도 되지 않을까 싶습니다. 로렌 우드의
매력적인 목소리와 아름다운 멜로디 그리고 멋진 색소폰 연주가
어우러진 정말 좋은 곡입니다.

I can't believe it you're a dream coming true

꿈꾸던 당신이 현실이 되다니 난 정말 믿을 수 없어요

I can't believe it how I have fallen for you

어떻게 당신과 사랑에 빠지다니 믿을 수 없어요

And I was not looking, was content to remain

난 기대하지도 않았죠, 그냥 나 혼자 남아 있어도 좋았어요

And it's ironic to be back in the game

내가 사랑이란 게임에 다시 돌아왔다는 게 정말 아이러니해요

이 곡이 마음에 와 닿으셨다면 같은 사운드트랙 앨범에서 한
곡 더 들어보도록 하겠습니다. 세계적 그룹이죠. '시카고Chicago'
의 메인보컬로 유명한 피터 세트라Peter Cetera의 'No Explana-
tion(1990)'도 함께 감상해보세요.

공주를 구한 왕자는 그다음 어떻게 되지?

마스크 오브 조로 (The Mask of Zorro, 1998)
1998년 10월 3일 토요일 개봉, 미국

Plaza of Execution(1998) - 제임스 호너(James Horner)

〈조로Zorro〉. 스페인어로 '여우'라는 뜻이죠. 존스턴 매컬리 Johnston McCulley의 원작 소설 〈The Curse of Capistrano(1919)〉가 〈The Mark of Zorro(1920)〉라는 이름으로 영화화되고 크게 인기를 얻으면서 〈The Further Adventures of Zorro(1922)〉, 〈Zorro Rides Again(1931)〉, 〈The Sign of Zorro(1941)〉와 같은 속편소설을 추가로 내놓았습니다. 검은 가면, 검은 망토를 두른 이 영웅은 우리에게 친숙한 밥 케인Bob Kane과 빌 핑거Bill Finger의 만화 〈배트맨Batman, 1939〉에도 영향을 주었습니다.

가면을 쓴 영웅의 이야기는 참 재미있습니다. 정의를 위해 싸우고 있어서 그 정체가 드러날까 봐 아슬아슬하기 때문이죠. 아버지의 재력으로 놀고먹는 유약한 성품의 주인공 돈 디에고 데 라 베가Don Diego de la Vega가 실은 부패한 공권력과 악당들을 심판하는 검객 조로라는 반전 역시 상당한 재미를 줍니다. 물론 조로를 사랑하는 여주인공 롤리타 풀리도Lolita Pulido와의 로맨스도 빼먹을 수 없겠죠.

영화는 디에고의 노년과 2세대 조로에게 바톤 터치하는 모습을 담고 있습니다. 저는 조로가 디에고가 아니라서 더욱 흥미로웠습니다. 1세대 조로인 디에고역은 연기파 배우 안소니 홉킨스Anthony Hopkins가 맡았습니다. 연기의 폭이 워낙 넓은 배우인지라 다양한 장르를 넘나드는 배우죠. 〈양들의 침묵〉의 한니발 렉터, 〈남아 있는 나날〉의 제임스, 〈토르〉 시리즈의 오딘 등 어떤 스타일의 배역이든 소화해 내는 능력이 대단합니다. 2세대 조로역에는 스페인 출신의 당대 인기배우 안토니오 반데라스Antonio Banderas가 디에고의 딸 엘레나 역은 캐서린 제타 존스Catherine Zeta Jones가 맡았습니다.

음악은 미국의 영화음악가 제임스 호너James Horner가 담당하였습니다. 미국을 배경으로 하고 있지만, 캘리포니아주가 스페인 식민지 치하 시절이 배경인지라 음악 역시 스페인풍으로 되어 있습니다. 이분은 다른 영화음악가와는 다르게 일찍이 영화음악 쪽으로 진로를 맞추어 놓았어요. 〈코만도Commando, 1985〉, 〈코쿤Cocoon, 1985〉, 〈에일리언 2Aliens, 1986〉, 〈브레이브 하트Braveheart, 1995〉, 〈아바타Avatar, 2009〉등의 작품에서 영화와 딱 떨어지는 음악을 선보였습니다. 제임스 호너의 다른 곡이 듣고 싶어지셨다면 이 곡을 빼놓을 수 없겠죠. 아카데미 음악상을 받은 영화 〈타이타닉(1997)〉 중에서 'Rose'도 함께 감상해보세요.

귀족도 그저 인간일 뿐이지.

피아니스트의 전설
(La Leggenda del Pianista sull'Oceano, 1998)
2002년 12월 6일 금요일 개봉, 이탈리아

Magic Waltz(1998) - 엔니오 모리꼬네(Ennio Morricone)

　주세페 토르나토레Giuseppe Tornatore-엔니오 모리꼬네 콤비가〈시네마 천국〉이후 다시 만나서 작업한 이 영화는 영화 팬 사이에 조용한 입소문과 애정을 유지하며 2002년, 그리고 2020년에 다시 한 번 개봉한 영화입니다. 영화는 이딜리아 작가 알레산드로 바리코Alessandro Baricco의 소설〈노베첸토Novecento〉를 원작으로 하고 있습니다. 때문에 스토리도 훌륭하고 사운드트랙 역시 엔니오 모리꼬네의 아름다운 곡들로 채워져 있습니다.

　영화에는 피아노로 대화하고 피아노로 마음을 표현하는 한 명의 피아니스트가 나옵니다. 배에서 태어나서 자란 한 남자예요. 어린아이가 피아노를 친구삼아 자라 어른이 되면서 점차 바깥세상에 눈을 뜨게 됩니다. 그 사나이에겐 지금 살고 있는 배 안에서 세상 밖으로 나간다는 건 엄청난 용기가 필요로 합니다. 그건 주인공뿐 아니라 누구에게나 찾아오는 고민과 도전인 것 같습니다. 나에게 익숙한 환경과 틀을 깨어 나온다는 건 결코 쉬운 일이 아니죠. 이 남자에게도 그 틀을 넘어서는 도전의 계기가 찾아옵니다. 바로 사랑이죠. 영국의 영화배우 팀 로스Tim Roth는 가슴은 열정적이지만 세상을 뚫고 나오기엔 용기가 필요한 남자의 눈빛을 덤덤하게 잘 연기하였습니다.

음악은 정말 훌륭합니다. 혼자서 연주한다는 건 불가능할 것만 같은 곡 'Magic Waltz'가 단연 압권이고, 사랑하는 이를 보고 연주하는 'Playing Love', 메인테마인 '1900's Theme'등 같은 사운드트랙에 이렇게 좋은 곡이 여러 개일 수 있을까 하는 생각이 들 정도입니다.

〈시네마 천국〉, 〈말레나Malena, 2000〉에서 보여준 주세페 토르나토레 감독의 아련한 연출력은 이 영화에서도 느낄 수 있습니다.

원작소설이 우리나라에도 번역되어 나와 있는데요. 기회가 되면 꼭 한번 읽어보고 싶습니다. 이 곡들이 마음에 와 닿으셨다면 〈시티 오브 조이City of Joy, 1992〉 중에서 엔니오 모리꼬네의 'Family of The Poor(1992)'도 함께 감상해 보세요. 이국적인 또 다른 느낌을 받으실 수 있으실 겁니다.

자네는 88개의 유한한 건반에서

무한한 음악을 만들 수 있어.

원스 어폰 어 타임 인 아메리카
(Once Upon A Time In America, 1984)
1984년 12월 10일 월요일 개봉, 미국

Amapola(1920) - 호세 M. 라칼레(Joseph M. Lacalle)

　영화가 워낙 유명하기도 하지만 제게는 긴 이름 때문에 더 기억에 남는 영화입니다. 클린트 이스트우드 주연의 〈황야의 무법자Per Un Pugno Di Dollari, 1964〉로 시작되는 일명 달라스 3부작은 마카로니 웨스턴Macaroni Western, 혹은 스파게티 웨스턴Spaghetti Western : 미국식 서부영화와 달리 선과 악이 상황에 따라 변하는 이탈리아 서부영화 장르의 대표적 작품이죠. 이외에도 세르지오 레오네Sergio Leone의 대표작 하면 〈무숙자My Name Is Nobody, 1973〉, 〈석양의 갱들Giu la testa, 1971〉, 〈옛날 옛적 서부에서C'Era Una Volta Il West, 1968〉를 들 수 있는데 모두 서부영화였습니다. 〈무숙자〉 이후 거의 10년 만에 돌아온 세르지오 레오네는 느와르 장르로 엄청난 대작을 들고 등장합니다. 영화팬들로부터 엄청난 찬사를 받아 온 그의 유작 〈원스 어폰 어 타임 인 아메리카Once Upon A Time In America, 1984〉입니다.

영화에는 연기파 배우 로버트 드 니로Robert De Niro, 제임스 우즈James Woods를 양축으로 엘리자베스 맥거번Elizabeth McGovern, 조 페시Joe Pesci가 출연하여 열연을 보여줍니다. 아역부터 노년까지의 긴 이야기를 차근차근 다루고 있는 데다 시간대를 교차하며 전개하기 때문에 '어디 한번 봐볼까?' 하는 마음으로 가볍게 보기는 쉽지 않은 영화입니다. 거기에 4시간이 넘는 긴 러닝타임도 한몫하지요.

그런데도 많은 찬사를 받은 이유는, 인간의 본성 중 하나인 '탐욕'에 대해서 너무나 정직하게 다루어 관객으로 하여금 그 본성을 인정할 수밖에 없게 만들기 때문일 것입니다. 인간관계 속 불행의 출발은 어느 한 사람의 욕심으로부터 출발하는 것 같습니다. 내가 욕심을 과하게 부리면 나와 관계를 맺고 있는 다른 사람이 그만큼 피해를 보거나 희생을 감수해야 하죠. 절도, 살인, 심

지어 전쟁까지도 누군가의 욕심으로부터 시작되니 참 무서운 불씨입니다. 영화 속에선 그 불씨로 여주인공인 데보라가 등장합니다. 성인 역에는 엘리자베스 맥거번이, 아역은 제니퍼 코넬리Jennifer Connelly가 맡고 있는데 할리우드 아역 중 이 만큼 임팩트 있는 역할도 없을 것이라는 이야기도 많이 있었습니다.

　데보라가 어린 시절 춤추는 장면에서 나오는 아마폴라는 양귀비꽃이라는 뜻으로 스페인 태생의 호세 M. 라칼레Joseph M. Lacalle가 1920년에 만든 곡입니다. 참 좋은 곡이죠. 사운드트랙에 실린 엔니오 모리꼬네의 편곡버전도 좋지만 그리스 출신의 음유시인 나나 무스쿠리Nana Mouskouri버전도 상당히 유명합니다. 엔니오 모리꼬네의 스코어들도 인상적입니다. 포스터로 쓰인 브룩클린 다리가 나오는 장면에서 나온 Cockeye's Song, 많은 분이 사랑하시는 Deborah's Theme, 후반부 맥스와의 재회 장면에 나오는 Childhood Memories 등 거의 전 곡이 영화음악 팬들로부터 많은 사랑을 받았습니다.

　아마폴라가 와 닿으신 분들을 위해 몇 가지 제안을 드리려 합니다. 이탈리아의 성악가 안드레아 보첼리Andrea Bocelli가 부른 아마폴라와 나나 무스쿠리가 부른 버전을 비교해서 감상해보시고, 우리나라에서도 많은 사랑을 받은 미국 드라마 〈화가의 딸Mistral`s Daughter, 1984〉 중에서 나나 무스쿠리의 'Only Love(1985)'도 함께 들어보세요.

사랑의 행로 (The Fabulous Baker Boys, 1989)
1992년 12월 12일 토요일 개봉, 미국

 The Moment of Truth(1989) - 데이브 그루신(Dave Grusin)

〈사랑의 행로〉의 원제는 'The Fabulous Baker Boys: 놀라운 베이커 형제'입니다. 극 중에 등장하는 형제밴드의 이름이죠. 실제로도 형제 배우인 제프 브리지스Jeff Bridges, 보 브리지스Beau Bridges가 출연하여 형제간의 애증을 잘 연기했습니다. 형제는 경쟁하면서 성장하죠. 서로에게 좋은 자극이 되어 삶의 도움이 되기도 하지만 형제 사이에 사랑이든 일이든 매력적인 여인이 엮이면 그 결과는 보통 새드 엔딩입니다.

이 영화에서도 한 명의 아름다운 여인이 인기가 없어진 형제 밴드의 흥행에 다시 불을 지피기도 하지만 결국 갈등의 원인이 되고 말죠. 그 매력적인 여자 주인공 수지 다이아몬드 역에는 1980~90년대 할리우드 고양이상 대표 미녀 배우인 미셸 파이퍼Michelle Pfeiffer가 맡았습니다. 이 영화에서 보여준 요염한 연기와 대역 없는 퍼포먼스는 보는 이로 하여금 혀를 내두르게 합니다. 근래에는 마블 스튜디오의 〈앤트맨과 와스프Ant-Man and the Wasp, 2018〉에서 원조 와스프역으로 출연하여 곱게 나이 든 모습을 볼 수 있었습니다.

영화도 좋고 음악도 좋은 경우는 많지 않은데 이 영화는 둘 다 갖췄습니다. 영화가 엄청난 감동을 주지는 않지만 달콤 쌉싸름한 로맨스에 데이브 그루신의 아름다운 음악, 그리고 전성기 시절 아름다운 미셸 파이퍼. 이 모두를 볼 수 있는 영화입니다.

재즈를 좋아하시는 분들은 데이브 그루신이 굉장히 익숙하실 겁니다. 유명 기타리스트인 리 릿나워Lee Ritenour와 함께 내한공연도 했고 좋은 연주곡들이 참 많죠. 소개해 드리는 'The Moment of Truth'는 저만 좋았던 게 아닌지 데이브 그루신은 이 앨범으로 그래미상을 받았습니다. Moment of Truth란 투우에서 온 말인데 투우사가 성난 소를 찌르는 바로 그 순간을 부르는 말입니다. 성공을 못 하면 투우사가 위험에 처할 수도 있는 매우 중요한 순간을 이야기합니다.

 잔잔한 피아노 연주가 일품인 이 곡이 마음에 와 닿으셨다면 같은 사운드 트랙 앨범에서 두 곡을 추천해 드리려 합니다. 미셸 파이퍼가 불렀던 'My Funny Valentine(1937)' 그리고 The Moment of Truth와는 상반된 매력의 화려한 곡인 'Suzie And Jack(1989)'도 함께 감상해보세요.

for 15 years its been just the fabulous baker boys......

...but times change.

jeff bridges michelle pfeiffer beau bridges
the fabulous baker boys

네가 나타나기 전까지 우리는 15년을 버텼어. 15년을.

미스터 아더 2 (Arthur 2, 1988)
1992년 12월 26일 토요일 KBS1 방영, 미국

Love Is My Decision(1988) - 크리스 디 버그(Chris de Burgh)

You got the moon in New York city,

넌 뉴욕의 저 달을 가졌고

You've got the whole world in your hands,

너의 두 손에 모든 세상을 담았지

Too many cards from disneyland,

디즈니랜드 카드도 너무 많이 가지고 있어

Saying that I was sorry, come one day

언젠가 내게 와 미안했다 말했던 그 말

But if, I ever had to choose Love is my decision

하지만 만일 결정해야 한다면 나는 사랑을 선택하겠어

With you I just can't lose

당신과 함께 잃어버릴 수 없어

You stay here by my side

내 곁에 머물러줘

Love is my decision Forever you and I

난 사랑을 선택했어. 너와 나 그리고 영원히

〈미스터 아더 2〉에는 전편에 이어 영국의 유명 코미디 배우인 더들리 무어Dudley Moore, 라이자 미넬리Liza Minnelli가 출연했습니다. 극장에서는 개봉하지 않았고 TV에서는 〈라이자 미넬리의 아기 소동〉이라는 제목으로 1992년에 방영한 적이 있습니다. 전편의 흥행이 어느 정도 성공을 거두었기에 속편이 제작되었겠지만, 전편과 마찬가지로 좋은 음악이 없었다면 지금까지 이 영화를 기억하지는 않았을 것 같습니다.

 전편의 주제가인 'Best That You Can Do'가 큰 사랑을 받았고 오스카상도 받은 좋은 기억이 있기 때문에 이번에도 주제가에 심혈을 기울인 것 같습니다. 2편에는 아르헨티나 태생의 영국 발라

드 가수 크리스 디 버그를 기용해서 멋진 주제가를 만들었습니다. 'Best That You Can Do'만큼 큰 사랑을 받거나 상을 받지는 못했지만 조용하게 영화음악 팬들에게 사랑받아 온 곡입니다. 듣다 보면 2편의 주제가 가사에도 1편의 후렴구인 'Moon and New York city'가 등장하면서 전편의 좋은 기억을 고스란히 이어받으려 한 흔적이 보입니다.

이 곡이 마음에 와 닿으셨다면 크리스 디 버그 하면 탁 떠오르는 그 곡 영화 〈워킹걸Working Girl, 1988〉 중에서 'The Lady in Red(1986)'도 함께 감상해보세요. 영국, 아일랜드에서 1위를 기록했고 빌보드에는 3위에 오른 그의 대표곡입니다. 〈미스터 아더 2〉 사운드 트랙 앨범 중에서 또 한 곡을 추천해 드리겠습니다. 호주 출신의 미녀 가수 카일리 미노그Kylie Minogue가 부른 'The Loco-Motion(1962)'도 함께 들어보세요. 리틀 에바Little Eva의 곡을 리메이크 하여 많은 사랑을 받았습니다. 지금도 방송에서 들을 수 있을 만큼 친숙한 곡입니다.

만일 결정해야 한다면 나는 사랑을 선택하겠어.

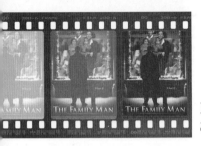

패밀리 맨 (The Family Man, 2000)
2000년 12월 30일 토요일 개봉, 미국

 La La Means I love You(1968) - 델포닉스(The Delfonics)

 20세기의 마지막 해인 2000년, 그 마지막 하루를 남기고 개봉한 영화는 바로 〈패밀리 맨〉 이었습니다. 당시에 상당히 재미있게 봤는데, 지금 다시 봐도 재미있을 것 같습니다. 상상 속의 세계로 직접 들어가서 벌어지는 따뜻한 이야기인데요. 니콜라스 케이지 전성기 시절이라 그런지 덤덤하면서도 따뜻한 연기가 참 좋습니다. 아이들도 귀엽고 내용도 부담이 없어요. 환상 속의 아내인 케이트의 생일파티에서 남편 잭은 노래를 한 곡 불러 줍니다. 저는 이 장면이 참 좋습니다. 그때 니콜라스 케이지가 부르는 곡이 바로 미국의 남성 3인조 델포닉스The Delfonics의 데뷔곡 'La La

Means I Love You(1968)'입니다. 오래된 곡임에도 가사가 담백하고 멜로디도 촌스러움이 느껴지지 않는 좋은 곡입니다.

Many guys have come to you with a line that wasn't true
많은 남자가 사탕 바른말을 하며 네게 다가왔지

And you passed them by
하지만 넌 그 사람들을 그냥 스쳐 지나갔어

Now you're in the center ring and their lines don't mean a thing
이젠 네가 내 중심에 있으니 그 사람들 말은 더 이상 아무 의미 없는 거야

Why don't you let me try
내가 너에게 대시해 보면 어떨까?

Now I don't wear a diamond ring I don't even have a song to sing
나에겐 다이아몬드 반지도, 너에게 불러 줄 수 있는 노래도 없어

All I know is La la la la la la la la means I love you
내가 아는 것이라고는 '라 라 라 라 라 라 라'. 그건 너를 사랑한다는 뜻이지

영화에선 니콜라스 케이지가 불렀지만 델포닉스의 원곡이 상당히 훌륭합니다. 1970년에는 마이클 잭슨이 속했던 '잭슨 파이브

Jackson 5'가 이 곡을 커버했는데 마이클 잭슨의 앳된 음성이 델포닉스의 원곡과는 또 다른 맛이 느껴집니다.

　비슷한 제목의 다른 곡도 한 곡 더 소개해 드리겠습니다. 1990년대 후반과 2000년대 우리나라에서도 많은 사랑을 받은 배우 기무라 타쿠야木村拓哉 주연의 일본 드라마 〈롱 베이케이션ロングバケーション,1996〉의 주제가 'LaLaLa Love Song(1996)'입니다. 이 곡은 쿠보타 토시노부久保田利伸와 영국의 세계적인 모델 나오미 캠벨Naomi Campbell이 함께 부른 곡입니다. 큰 사랑을 받아 오리콘 차트 1위에 올랐습니다. 곡이 워낙에 좋기 때문에 지금 들어도 여전히 좋습니다. 특히 2절 후반에 La La La가 엄청나게 반복되는데요. 그때 쿠보타 토시노부가 부르는 'La La La'역시 'Means I love You'로 들립니다. 원곡이 뛰어나기 때문에 여러 뮤지션들이 리메이크 했는데요. 그중에서도 단연 으뜸은 2018년 백예린 님의 버전입니다. 특유의 미세한 진동이 있는 목소리로 들려주는 감성은 쿠보타 토시노부와는 또 다른 감동으로 다가옵니다. 꼭 한번 감상해보세요.

집에 우리 아이들이 있어, 집으로 돌아가야 해.

시골 영웅 (Local Hero, 1983)
1993년 1월 9일 토요일 KBS2 방영, 영국

 Wild Theme(1983) - 마크 노플러(Mark Knopfler)

　이 곡은 지금까지도 이따금 대중매체를 통해 들을 수 있을 정도로 많은 사랑을 받은 곡입니다. 1990년대에 영화음악을 사랑했던 분이시라면 'Wild Theme'을 듣고 바로 정은임 아나운서님을 떠올릴 분들이 많을 계실 거예요.

　새벽 1시 라디오 영화음악 방송을 진행했던 정 아나운서님의 목소리를 듣고자 늦게까지 기다리며 공부했던 그때 그 기억이 아직도 생생합니다. 사춘기를 겪으며 보내는 학창시절이란 뭔가가 막힌 듯 답답한 마음이 들 때가 있었습니다. 하지만 어른이 되어가면서 책임질 일도 많고 세상 살기가 더 힘들어져서 모든 것이

기회가 되는 그 푸른 시기가 부럽게 느껴질 때도 생기죠. 아무 고민도 없었던 것 같지만 돌아보면 그때도, 삶을 사는 게 쉽지만은 않았어요. 그런 내게 모두가 잠들어 있는 밤 홀로 듣는 것만 같은 라디오 방송은 마음의 휴식과 위로의 시간이며 영화음악이라는 친구를 만나는 행복한 시간이었습니다.

전임前任 방송 진행자였던 조일수 아나운서님의 후임으로 신입 아나운서인 정 아나운서가 진행을 이어받으면서 방송 시그널곡이 영화 〈칼의 고백CAL, 1984〉에 실려있는 'The Long Road(1984)'에서 'Wild Theme'으로 바뀌었어요. 특유의 또렷하고 맑은 목소리가 늦은 밤 졸음을 깨워 영화음악에 귀를 기울이게 해주기에 충분했고, 그 목소리와 이내 친숙해졌습니다. 지금도 'Wild Theme'을 들으면 정 아나운서님의 목소리와 그때의 내 모습이 떠오르고, 어른이 된 나에게 그때 가졌던 초심을 잃으면 안 된다고 일깨우곤 합니다. DJ를 맡은 기간은 2년 반 정도 되는 짧은 기간입니다. 하지만 많은 영화음악 팬들의 마음속에 이 정도로 강하게 영향을 주었다는 건 정말 대단한 사람임에 틀림이 없는 것이죠.

1995년 방송을 마지막으로 정 아나운서님의 방송을 들을 수 없게 되었어요. 학창시절을 함께한 친구 같은 누나가 없어지는 것 같아 많은 서운함이 밀려왔었습니다. 그리고 거의 10년이 다 지난 2003년, 아직도 그 목소리를 그리워하는 팬들의 기대에 힘입어 같은 방송으로 다시 돌아옵니다. 정말 오랜만에 복귀한 그 방송을 들었을 때 무척 반가웠습니다. 옛날 생각도 많이 났어요. 제 모습도 변해서 까까머리 학생이 아니라 청년이 되어있었어요. 또 바뀐 건 영화음악 방송의 인기가 예전보다 더 없어진 건지 방송 시각이 새벽 3시로 변했다는 점입니다. 그 때문에 방송을 자주 들을 수 없었어요. 2003년엔 인터넷이 대중화되어서 온라인으로 다시 듣기가 가능했지만, 새벽에 듣는 본방의 맛이 있기에 알람을 맞춰 놓고 일어나 들었습니다. 그리고 2004년 4월 방송복귀 1년도 못 되어 다시 개편되면서 생각지 않은 종방이라는 소식을 접했습니다. 그리고 그해 여름, 교통사고로 세상을 등지게 되었다는 소식을 기사로 접했을 때 가슴이 먹먹했었습니다. 이제 다시는 그 맑은 목소리를 들을 수 없기 때문이죠.

음악은 마크 노플러가 맡았습니다. 대가의 기타연주를 듣고 나면 엄지손가락을 척하고 들어주고 싶어집니다. 듣자마자 마음이 차분해지는 밤과 참 잘 어울리는 곡입니다.

　이 곡이 마음에 와 닿으셨다면 마크 노플러가 속해 있던 그룹인 다이어 스트레이츠의 'Your Latest Trick(1986)'도 함께 들어보세요. 영화음악에서는 노래를 부르지 않기 때문에 마크 노플러의 목소리를 들을 수 없지만, 밴드 활동에서는 목소리를 들을 수 있죠. 우물우물 읊조리듯 부르는 그 창법이 참으로 멋지고 색소폰 연주도 기가 막힙니다.

택시 드라이버 (Taxi Driver, 1976)
1989년 2월 17일 금요일 개봉, 미국

 Theme From Taxi Driver(1976) - 버나드 허만(Bernard Herrmann)

대학생 때였던 것으로 기억이 납니다. TV에서 〈택시 드라이버
〉를 방영 한다는 광고를 보게 됐어요. 오랜만에 방영시간을 기다
려 TV로 영화를 처음부터 끝까지 봤었습니다. 역시 많은 사람이
이 영화에 엄지를 들이 올린 데는 이유가 있었습니다. 영화 〈인턴
The Intern, 2015〉을 보신 분이라면, 푸근한 인상의 할아버지를 기
억하실 텐데요. 이분이 바로 이 영화의 주연을 맡은 연기파 배우
로버트 드 니로Robert De Niro입니다. 영화의 연출을 맡은 거장 마
틴 스코세이지Martin Scorsese감독과 호흡이 좋아 이 영화 이후에
도 〈성난 황소Raging Bull, 1980〉, 〈좋은 친구들Goodfellas, 1990〉, 〈

카지노Casino, 1995〉와 같은 영화에서도 연이어 함께 하였습니다.

영화 속 주인공 트래비스는 택시 드라이버로의 삶을 살아가며 밤의 뒷거리 여기저기서 여러 종류의 손님들을 맞이합니다. 빠르게 변하는 세상 속에서 암울하게 사는 사람들, 그리고 그런 사람들을 괴롭히는 사람들, 크게 나아질 것 같지 않은 나의 모습을 바라보면서, 이 세상의 쓰레기들이 빗물에 씻겨 내려가길 바랍니다. 결국에는 그 쓰레기라 생각되는 사람들을 스스로 처단하고 싶은 마음이 생기기 시작합니다.

영화는 칸 영화제 황금종려상을 수상 했습니다. 그리고 음악은 서스펜스 영화의 대명사 알프레드 히치콕Alfred Hitchcock감독의 영화음악을 줄곧 담당했던 버나드 허만이 맡았습니다. 이 영화의 사운드트랙은 그의 유작입니다. 히치콕 영화에서 보여주었던 긴장감 넘치는 곡과는 달리 재즈 톤으로 고독한 밤거리를 바라보는 주인공 트래비스의 마음을 잘 나타낸 멋진 곡입니다. 할아버지가 작곡했다는 사실이 믿기지 않을 정도로 세련되고 멋있습니다.

그의 음악은 우리도 모르는 사이에 많이 들었기 때문에 모두에게 친숙하실 텐데요. 〈사이코Psycho, 1960〉의 음악이 대표적으로 딱 들으면 바로 아는 대표곡입니다. 이 밖에도 지금 봐도 재미있는 〈북북서로 진로를 돌려라North by Northwest, 1959〉, 그리고 그 유명한 오손 웰스Orson Welles의 〈시민 케인Citizen Kane, 1941〉의 음악을 담당한 것도 버나드 허만이었습니다. 버나드 허만의 곡이 한 곡 더 듣고 싶어지셨다면 영화 〈트위스티드 너브 Twisted Nerve, 1968〉의 메인테마로 이후 쿠엔틴 타린티노 감독의 〈킬 빌 1Kill Bill: Vol. 1, 2003〉 사운드트랙에 다시 등장한 'Twisted Nerve(1968)'도 함께 감상해보세요.

사람이 참는 데는 한계가 있는 법이야!

자유의 댄스 (Footloose, 1984)
1984년 2월 17일 금요일 개봉, 미국

 Let's Here It For The Boy(1984) - 데니스 윌리엄스(Denice Williams)

이 곡을 부른 데니스 윌리엄스Denice Williams는 5번째 앨범 'My Melody(1981)'가 빌보드 앨범차트 13위, 그 이어 발표한 Niecy(1982)가 같은 차트에서 5위를 기록했지만, Billboard Hot 100에서 정상을 차지한 적은 없었는데요. 이 곡으로 결국 빌보드 1위에 오릅니다. 영화도 참 많은 사랑을 받아 지금까지도 뮤지컬로 만들어지는 등 댄스영화의 대표작품 중 하나로 손꼽히는 데요. 사운드트랙 앨범은 영화의 인기를 뛰어넘어 전설적인 사운드트랙이라 할 만합니다. 영화가 오랫동안 사랑을 받은 이유도 음악이 좋았기 때문이니까요.

앨범 안에는 이 곡 말고도 케니 로긴스가 부른 주제가 'Foot-loose'가 3주간 빌보드 차트 정상에 머물렀고, 케니 로긴스의 또 다른 수록곡 'I'm Free Heaven Helps the Man'이 22위, 캐나다 출신의 마이크 레노Mike Reno, 미국의 앤 윌슨Ann Wilson이 듀엣으로 부른 사랑의 테마 'Almost Paradise'가 7위에 오른 후 40위권에 무려 13주를 머물렀죠. 이뿐 아니라 영국의 락커 보니 타일러 Bonnie Tyler의 'Holding Out for a Hero'는 영국 차트에서 2위, 빌보드 차트에서는 34위를 기록했습니다. 이런 엄청난 사운드트랙 중에서 이 곡을 소개해 드리는 이유는 곡이 좋음에도 불구하고 다른 곡들과 달리 이젠 대중매체를 통해서 좀처럼 듣기 힘들어졌기 때문입니다. 1980년대 전자음악과 4옥타브를 넘나든다는 데니스 윌리엄스의 목소리가 어우러진 멋진 곡입니다.

My baby, he don't talk sweet

내 사랑, 그는 달콤한 말은 하지 않아요

He ain't got much to say

말수도 별로 없죠

But he loves me, loves me, loves me

하지만 그 사람은 나를 사랑해요. 정말 정말 사랑한다고요

I know that he loves me anyway

그 사람이 나를 사랑한다는 걸 알고 있어요

And maybe he don't dress fine

옷도 잘 차려입지 않은 것 같지만

But I don't really mind

난 뭐 그런 것 상관없어요

    데니스 윌리엄스는 대중가요로 출발했지만 1980년대 중반 이후에는 가스펠 가수로 최정상에 오릅니다. 가스펠로만 무려 4개의 그래미상을 수상 했는데요. 가스펠을 부르는 윌리엄스의 음성을 듣고 싶으시면 필립 베일리Philip Bailey와 함께 부른 'They Say(1986)'를 꼭 한번 들어보세요. 그래미상을 수상한 원곡은 샌디 패티Sandi Patty와 함께 불렀는데요. 저는 필립 베일리와 부른 버전이 더 좋은 것 같습니다.

슬퍼할 때가 있고, 춤출 때가 있나니

Metti, Una Sera A Cena - Ennio Morricone

For All We Know - Larry Meredith

Greatest Love of All - George Benson

Sunshine Smiles - Charlie Rich

The Duel - Giorgio Moroder

T'en Vas Pas - Elsa Lunghini

You Never Know - Ringo Starr

Volare - Domenico Modugno

Eddie's Theme - Alan Silvestri

Opening Theme - Herbie Hancock

Where Did My Heart Go? - James Ingram

Experience of Love - Eric Serra

Jeanne et Lucas - Vladimir Cosma

The Way You Make Me Feel - 莫文蔚

Setembro - Quincy Jones

3부 高手 篇(고수 편)
익숙하지만 영화음악인지 모르는 곡, 조금은 가려진 곡 15

  누구에게나 내가 아끼는 곡들이 있습니다. 그중에는 많은 분에게 잘 알려지진 않았지만 오랜 팬들이 즐겨듣는 곡들이 있습니다. 또 널리 알려진 곡이지만 희한하게도 그 이름이 무엇인지 누가 부르고 만들었는지 모르는 때도 있습니다. 여기에는 그런 곡들을 모아 봤어요. 잘 알려졌어도 영화음악인지 잘 모르시는 곡들, 조금은 낯설지만 정말 좋은 곡들을 함께 나눠 보려 합니다. 이런 곡들을 소개하고 나눌 기회가 생겨 행복합니다. 그동안 누구에게도 보여주지 않았던 일기장 속 이야기를 시작하려는 기분이 듭니다. 자, 이제 좋은 음악과 함께 마지막 장을 향해 넘어가 보도록 하겠습니다.

어느 날 밤의 만찬 (Metti, Una Sera A Cena, 1969)
미개봉, 이탈리아

 Metti, Una Sera A Cena(1969) - 엔니오 모리꼬네(Ennio Morricone)

　누구나 이 분을 영화음악의 전설이라고 불러왔고 그를 인정해
왔지만 유독 미국 아카데미에서는 그분에게 음악상을 수여하지
않았었습니다. 세계영화인의 잔치인 줄 알았던 그곳이 백인우
월주의, 자본주의 논리가 크게 작용한다는 것을 알게 되었을 때
부터 큰 실망을 하기도 했습니다. 하지만 그럼에도 불구하고 오
랜 역사와 세계영화시장에 미치는 막대한 영향력, 그리고 오스
카상의 권위는 무시할 수 없는 것임에는 틀림이 없습니다. 2010
년대 이후로 접어들면서 아카데미 시상식도 조금씩 변화한 것
같습니다. 쿠엔틴 타란티노 감독의 영화 〈헤이트풀 8The Hateful

Eight, 2015〉로 드디어 엔니오 모리꼬네가 음악상을 드디어 받은 것이죠.

이 영화 〈어느 날 밤의 만찬〉은 저는 볼 수 없었습니다. 출연 배우도 감독도 제겐 익숙한 분들이 아닙니다. 그런데도 이 곡은 오랫동안 제 좋은 친구가 되어준 곡입니다. 아마 많은 영화음악 팬도 그렇게 얘기하실 것 같아요. 오리지널 사운드트랙 버전, 오케스트라 버전 등 여러 버전이 있지만 저는 이탈리아의 피아니스트이자 가수 겸 배우인 노라 오를란디Nora Orlandi가 참여한 버전을 가장 좋아합니다. 보사노바풍의 리드미컬 하면서 중독성 있는 멜로디, 엄청난 고음, 멋진 피아노와 바이올린 연주는 오랫동안 마음을 사로잡습니다.

저도 엔니오 모리꼬네처럼 할아버지가 되어도 새로운 것을 포용할 수 있는 열린 마음을 가진 존경받는 노인이 되었으면 하는 소망도 가져봅니다. 이 곡이 마음에 와 닿으셨다면 미국의 유명 추리소설가 시드니 셸던Sidney Sheldon의 소설을 영화화한 〈혈선 Sidney Sheldon's Bloodline, 1979〉 중에서 엔니오 모리꼬네의 사랑의 테마Love Theme도 함께 감상해 보세요.

러버스 앤 어더 스트레인저
(Lovers And Other Strangers, 1970)
미개봉, 미국

 For All We Know(1970) - 래리 메레디스(Larry Meredith)

1968년 발표된 동명의 브로드웨이 연극을 원작으로 한 이 영화는 〈다이하드Die Hard, 1988〉의 주인공인 존 맥클레인 형사 부인 역할을 맡았던 보니 베델리아Bonnie Bedelia가 출연한다는 것 말고는 제게는 큰 공감대가 있지 않은 영화입니다. 국내에는 개봉도 방영도 한 적이 없었기 때문에 더 그런 것 같아요. 하지만 주제가 만큼은 그렇지 않은데요. 주제가는 래리 메레디스Larry Meredith가 불러 아카데미 주제가상까지 수상했지만, 더 많은 인기를 얻은 것은 카펜터스Carpenters의 1971년 커버버전 일 것입니다.

카펜터스는 남매 듀오입니다. 오빠인 리처드 카펜터Richard Carpenter는 프로듀싱과 서브 보컬을 맡고, 여동생인 카렌 카펜터 Karen Carpenter가 메인 보컬을 담당했습니다. 카렌의 중저음은 독보적인 음색이라 단번에 사람을 그 자리에 멈추게 만듭니다. 거식증에 걸리지 않았다면 젊은 나이에 그렇게 세상을 등지지 않았을 텐데 참 많이 아쉽습니다. 카펜터스는 이 곡을 빌보드차트 3위에 올려놓습니다.

Love, look at the two of us
사랑으로 우리 두 사람을 바라봐요

Strangers in many ways
여러모로 다른 우리들을

Let's take a lifetime to say I knew you well
'나는 널 잘 알고 있었어' 라고 말할 수 있기까진 오랜 시간이 걸리죠

For only time will tell us so
오직 세월만이 우리에게 그리 말해줘요

And love may grow for all we know
사랑은 우리가 알고 있는 모든 것들을 성장하게 해요

정말 멋진 곡입니다. 카펜터스가 마음을 울렸다면, 'When I was young I'd listen to the radio'로 시작하는 또 다른 멋진 곡 'Yesterday Once More(1973)'도 꼭 한 번 함께 감상해보세요.

우린 모두 다 이방인이에요. 하지만 곧 익숙해지죠.

더 그레이티스트 (The Greatest, 1977)
미개봉, 미국

Greatest Love of All(1977) - 조지 벤슨(George Benson)

　자전거를 훔쳐간 도둑을 혼내주고 싶었던 캐시어스라는 흑인 소년이 있었습니다. 신고하러 들어갔던 경찰서에서 경찰 아저씨에게 '그런 사람들 혼내주려면 복싱을 배우지 그래?' 라는 말을 듣게 되었어요. 아저씨는 농담 반 진담 반으로 가볍게 이야기했겠지만 소년은 이 말을 진지하고 무겁게 받아들였습니다. 왜냐하면, 나쁜 사람들을 정말 혼내주고 싶었기 때문이었습니다. 결국, 그 소년은 실제로 복싱을 배우기 시작해서 세계 챔피언의 자리에 오릅니다. 그리고 1960년 로마 올림픽에 출전해서 조국인 미국에 금메달을 안겨줍니다.

하지만 귀국한 금메달리스트는 여전한 인종차별에 실망하게 되고 그것이 계기가 되어 인생에 놀라운 변화를 일으킵니다. 그 청년이 이슬람 신자로 개종한 것이죠. 거기에다 캐시어스 클레이Cassius Clay라는 본명을 버리고 무하마드 알리로 개명까지 하였습니다. 미국에 베트남전 참전 바람이 불었을 때는 '나에게 검둥이라고 부르지 않는 베트남 사람들과 싸우기보단 흑인을 차별하는 미국 사람들과 싸우고 싶다'며 월남전 징집에도 거부합니다. 그 때문에 세계 챔피언 벨트를 반납해야 했고 선수자격도 상실했어요. 이후 3년간의 법정 싸움 끝에 선수자격을 회복하지만 이미 시간과 비용, 에너지를 많이 소비했고 어느덧 나이도 32살이 되었습니다. 어느새 노장 선수가 된 것이죠. 그때 성사된 매치가 24살 한참 전성기에 있었던 핵 주먹 조지 포먼George Foreman과의 대결입니다. 이 영화는 여기까지의 내용을 담고 있습니다.

구하기 힘든 이 영화가 보고 싶은 이유가 세 가지 있는데요. 첫째, 주인공으로 알리 자신이 직접 출연 하였기 때문입니다. 두 번째는 1980년대 추억의 미국 드라마 중 하나인 〈에어울프Airwolf, 1984〉를 좋아하셨던 분들이시라면 어네스트 보그나인Ernest Borgnine을 기억하실 겁니다. 미소가 푸근한 할아버지셨죠. 이분과 더불어 스타워즈 시리즈의 '다스 베이더Darth Vader' 목소리를 맡았던 제임스 얼 존스James Earl Jones도 함께 만나볼 수 있는 영화이기 때문입니다. 끝으로 하나 더, 너무나 유명한 조지 벤슨의 주제가가 있기 때문이죠.

'Greatest Love of All'이라고 하면 휘트니 휴스턴이 부른 바로 그 곡인가? 하시는 분들도 계실 겁니다. 네, 맞습니다. 그 곡의 원곡이 바로 지금 소개해 드리는 이 영화의 주제가입니다. 휘트니 휴스턴이 조지 벤슨의 곡을 조금 더 드라마틱하게 잘 불러내서 원곡자보다 더 큰 사랑을 받았어요. 하지만 반복하여 듣다 보면 조지 벤슨의 창법이 들을수록 조금 더 담백한 맛이 느껴집니다.

I believe the children are our future
어린이들이 우리의 미래라고 믿고 있어요
Teach them well and let them lead the way
아이들을 잘 가르쳐서 그들의 인생을 이끌어가도록 해야 해요
Show them all the beauty they possess inside
그들에게 내면의 모든 아름다움을 보여주세요

Give them a sense of pride to make it easier

마음 편히 살 수 있게 자존감을 심어 주어야 해요

Let the children's laughter remind us how we used to be

아이들의 웃음소리를 들으면 우리들의 어린 시절을 떠올릴 수 있게 해야죠

조지 벤슨은 그래미 3관왕이자 기타리스트 겸 재즈, R&B 가수
입니다. 이분하면 '글렌 메데이로스Glenn Medeiros'가 경연 프로
그램에서 불러서 큰 사랑을 받았던 'Nothing's Gonna Change
My Love for You(1985)'가 먼저 떠오릅니다. 글렌 메데이로스
버전과 조지 벤슨의 원곡을 함께 감상해 보시면 재미있는 시간
이 될 것 같습니다.

벤지 2-사랑을 위하여 (For The Love of Benji, 1977)
미개봉, 미국

Sunshine Smiles(1977) – 찰리 리치(Charlie Rich)

개와 사람과의 우정을 다룬 영화들은 꽤 있었지만 1970~1980
년대까지 벤지가 단연 최고였습니다. 이 영화는 1974년 작품인
〈벤지 1〉의 속편으로 전편과 마찬가지로 감독과 각본을 조 캠프
Joe Camp가 직접 맡았습니다. 이분은 이후에도 속편을 계속 만
들어서 〈벤지 3 위기일발Benji The Hunted, 1987〉, 〈벤지 4 돌아온
벤지Benji: Off The Leash!, 2004〉'가 세상에 나왔습니다. 그의 아들
인 브랜든 캠프Brandon Camp가 〈벤지 1〉을 리부트한 〈벤지Benji,
2018〉도 세상에 다시 나왔지만 1편만큼의 인기를 얻은 영화는 없
습니다.

캠프 부자父子가 벤지에 참 많은 시간을 투자한 셈이죠. 1편의 벤지역에는 당시 TV쇼에서 이미 유명한 연기견이었던 히긴스 Higgins가 출연했습니다. 하얀색의 작고 귀여운 개입니다. 1971년작 〈Mooch Goes to Hollywood〉를 끝으로 방송계를 은퇴했는데 이후 3년 만에 우리 나이로 17살이라는 고령으로 연기한 영화가 벤지 1편이었습니다. 사람으로 치면 할아버지가 노익장을 과시한 셈인데, 영화를 보면 강아지라고 불러도 될 만큼 앳되고 귀여운 얼굴이죠. 소개해 드리는 2편에서는 히긴스가 세상을 떠난 뒤라 그의 딸인 벤진Benjean이 그 뒤를 이어 벤지역으로 출연하였습니다.

1편에는 미국의 유명 컨트리 가수 찰리 리치Charlie Rich가 불러서 골든글로브 주제가상을 받은 'I Feel Love(1974)'가 실려 있습니다. 이 곡에 가려 잘 알려져 있진 않지만, 전편에 이어 속편에도 찰리 리치의 담백한 주제가가 담겨있어요. 편안한 멜로디와 따뜻함이 전달되는 가사, 그리고 컨트리 음악 달인의 진솔한 창법이 곁들여진 명곡입니다. 이 곡은 커버의 대가 앤디 윌리엄스 Andy Williams의 버전도 있는데요. 더욱 풍성한 화음, 조금 짧아서 아쉬운 원곡을 조금 더 길게 살려낸 멋진 곡입니다.

Your sunshine smiles, Your skies are blue
당신의 햇살은 미소를 지어줍니다. 당신의 하늘은 푸르죠

Your spring is blossoming, and So are you
당신의 봄엔 꽃이 피어나죠. 당신 또한 그렇습니다

You can tell me around anytime I am feeling down
내가 우울해질 때면 당신은 언제든 내게 와 말을 건넬 수 있어요

You can dry your tears just by be in near
당신은 내 곁에서 눈물을 닦아 줄 수도 있어요

Your sun will song and morning is light
당신의 태양은 노래를 부를 것이고 당신의 아침은 화창할 거예요

Your dawn can overcome for the darkest night
당신의 새벽은 칠흑같이 어두운 밤도 이겨 낼 수 있어요

You are the champagne, the rhapsody
당신은 샴페인, 당신은 랩소디입니다

That your sunshine smiles on me
당신의 그 햇살이 내게 미소를 지어줍니다

Your sunshine smiles, Your flowers sing
당신의 햇살은 미소를 짓고, 당신의 꽃들은 노래를 부릅니다

Your ocean breezes cool, Your church bells ring

당신의 바닷바람은 시원하게 불어오고, 당신의 교회 종소리가 울려 퍼집니다

You are the champagne, the rhapsody

당신은 샴페인, 당신은 랩소디입니다

That your sunshine smiles on me

당신의 햇살이 내게 미소 지어줍니다

정말 아름다운 곡입니다. 이 곡이 마음에 와 닿으셨다면 찰리 리치의 대표곡 'The Most Beautiful Girl, 1973)'도 함께 감상해보세요. 더불어 이 곡의 따뜻함과 왠지 맥을 같이 하고 있다는 느낌이 드는 김진영 님의 동요 '내가 호 불어 줄게요(2011)'도 함께 감상해보세요. 두 곡의 가사를 느끼며 연이어 들으시면 잔잔하게 밀려오는 따뜻함에 나도 모르게 두 눈가가 따뜻해질지 모릅니다.

로맨틱 컴퓨터 (Electric Dreams, 1984)
미개봉, 미국, 영국

The Duel(1984) - 조르지오 모로더(Giorgio Moroder)

When I was fifteen, sixteen, when I really started to play the guitar I definitely wanted to become a musician.

내가 기타를 연주하기 시작했을 15~16살쯤에, 음악가라는 분명한 목표가 생겼어요

It was almost impossible because the dream was so big I didn't see any chance Because I was living in a little town,

나는 작은 마을에 살고 있었고 조그마한 기회조차 찾을 수 없었기에 그 꿈은 거의 불가능에 가까웠어요

(중략)

'Wait a second I know the synthesizer,

why don't I use the synthesizer which is the sound of the future?'

'잠깐, 난 신디사이저를 다룰 줄 알잖아

미래의 소리인 신디사이저를 활용해 보면 어떨까?'

I knew that it could be a sound of the future

But I didn't realize how much impact it would be

그게 미래의 소리가 될 수도 있다는 건 알았지만 얼마나 큰 영향을 줄지 알지 못했죠

My name is Giovanni Giorgio, but everybody calls me Giorgio

내 이름은 죠반니 조르지오, 다들 나를 그냥 조르지오라고 불러요

윗글은 프랑스의 일렉트로니카 대표 남성 듀오였던 다프트 펑크Daft Punk가 조르지오 모로더와 2013년에 발표한 'Giorgio by Moroder'에서 조르지오 모로더가 직접 나레이션 한 부분입니다. 자신의 과거를 덤덤하게 말하는 대가의 독백이 참 멋있습니다. 이탈리아 출신으로 대중가요로는 도나 섬머가 부른 'I Feel Love(1977)', 'Hot Stuff(1979)'가 대표작입니다.

조르지오 모로더는 우리나라와도 특별한 인연이 있는데요. 1988년 서울올림픽의 주제가 '손에 손잡고Hand in Hand'를 이 분이 작곡했기 때문입니다. 코리아나가 부르는 이 곡을 듣고 있으

면 시간이 많이 지났음에도 여전히 곡에 힘이 있습니다. 아직도 그때의 기억이 생각 날 정도로 굉장히 잘 만들어진 곡입니다. 이 곡말고도 자국에서 개최한 1990년 이탈리아 월드컵 주제가 'Un'estate Italiana'도 작곡했어요. 영화음악에서도 활약을 했는데요. 〈플래시 댄스Flashdance, 1983〉, 〈네버엔딩 스토리The Never Ending Story, 1984〉에서 음악을 맡았고 〈미드나잇 익스프레스Midnight Express, 1978〉로는 아카데미 음악상을 받았습니다.

추천해 드리는 곡 'The Duel'은 첼리스트인 여주인공과 자아가 생긴 컴퓨터가 협연하는 장면에서 나오는 곡입니다. 이 곡은 바흐의 미뉴에트Bach: Minuet In G Major를 편곡하여 신디사이저로 연주한 곡입니다. 들어보시면 익히 들어 익숙한 멜로디면서도 신선한 곡입니다. 조르지오 모로더의 곡이 한곡 더 듣고 싶어지셨다면 영화 〈미드나잇 익스프레스〉 중에서 'Chase(1978)'의 전반부를 들어봅시다. 8분이 넘는 긴 곡입니다. 비슷한 멜로디가 반복되어 전곡을 들으면 지루할 수도 있지만, 도입부는 정말 압권입니다. 더불어 서두에 말씀드린 다프트 펑크와 협업한 'Giorgio by Moroder(2013)'도 함께 감상해보세요. 역시 멋진 곡입니다.

소개해 드린 곡들을 모두 들어도 일렉트로니카의 흥이 아직 성에 차지 않는다면 우리나라 일렉트로니카 밴드 '이디오 테잎'의 'Melodie(2011)'도 함께 감상해 보세요.

'손에 손잡고'를 말씀드리니까 2002년 우리나라에서 열린 큰 스포츠 이벤트가 생각납니다. 바로 일본과 공동개최했던 FIFA 월드컵입니다. 주제곡인 'Anthem(2002)'은 그리스의 유명 영화 음악가 반젤리스Vangelis가 작곡하고 김덕수 사물 놀이패와 협연을 한 곡입니다. 반젤리스 역시 전자음악으로 상당히 유명한 음악가인데 두 음악가가 우리나라와 묘한 인연이 있습니다. 선수들이 운동장으로 입장할 때 'Anthem'이 늘 흘러 나오곤 했는데 지금까지도 그 환호성과 멋진 경기가 기억이 많이 남아 있습니다. 이 곡 역시 멋진 곡이니 함께 감상해보세요.

내 인생의 여인 (La Femme De Ma Vie, 1986)
미개봉, 프랑스

 T'en Vas Pas(1986) - 엘자(Elsa Lunghini)

　이 영화를 기억하는 분이 계시 다면 아마도 저처럼 엘자 룅기 Elsa Lunghini의 주제가를 기억하고 있기 때문일 것입니다. 영화에는 제인 버킨Jane Birkin이 출연합니다. 영화음악의 올드팬이시라면 프랑스 영화 〈귀여운 반항아L'Effrontee, 1985〉로 큰 사랑을 받은 배우 샤를로뜨 갱스부르Charlotte Gainsbourg와 주제가인 'Sara Perche Ti Amo(1981)'를 기억하실 텐데요. 샤를로뜨 갱스부르가 바로 제인 버킨의 딸입니다.

　〈내 인생의 여인〉을 보신 분은 몇 분 안 계실 건데요. 저 역시 그렇습니다. 하지만 이 곡은 영화음악 팬들로부터 큰 사랑을 받았고, 프랑스 SNEP차트에서도 1위를 기록했었습니다.

　다시 엘자 렝기니 이야기로 돌아가 보겠습니다. 예전 라디오에서는 디스크자키들이 그냥 엘자로 불렀습니다. Elsa라고 하면 지금은 애니메이션 〈겨울왕국Frozen, 2013〉의 엘사가 더 유명하지만, 과거에는 Elsa하면 엘자 렝기니였습니다. 이 곡이 데뷔곡인데요. 당시 우리나이로 14세였습니다. 대단하죠? 맑고 영롱한 목소리와 아름다운 불어의 맛을 살린 그 특유의 음색에 매료되었고 거기다 이목구비 또렷한 외모까지 겸비하여 아주 큰 사랑을 받았습니다.

　1988년에 미국, 프랑스 최고 소년, 소녀 가수의 콜래버레이션 앨범이 있었습니다. 저는 이 앨범을 기획한 분이 대단한 아이디어를 냈다고 생각합니다. 당시 엘자가 글렌 메데이로스의 팬이었다고 하는데요. 그 때문에 듀엣의 성사가 더 잘 이뤄졌을 것 같아요. 곡명은 'Un Roman D'Amitie(1988, 영어명 Friend You Give Me a Reason)'인데 같이 한번 들어보세요. 각각의 자국어로 부르는 그 하모니가 정말 듣기 좋습니다.

내 사랑 컬리수 (Curly Sue, 1991)
1992년 3월 24일 화요일 개봉, 미국

You Never Know(1991) - 링고 스타(Ringo Starr)

Life goes on, and no one gets rehearsal.

삶은 이렇게 흘러갑니다. 그 누구에게도 리허설 할 기회는 주어지지 않죠

Life goes on, through everyday reversals

인생은 매일 매일의 빈잔을 겪으며 나아가요

With every dawn, everyday is full of chances,

to find some good before it's gone...

매일 새벽이 되면, 그날그날 사라지기 전에 찾을 좋은 기회들로 가득 차 있어요

You never know, which way a day is gonna take you,

당신은 모를 거예요. 그 하루가 당신을 어디로 데려갈지

There's always some surprise, that comes along to shake you.
그곳엔 당신을 흔들 만큼 놀라운 일이 늘 따라 다니죠
A simple rule of thumb, that's often been neglected,
is 'Take life as it comes, expect the unexpected'
흔히 무시하는 이 간단한 경험의 법칙,
'내게 다가오는 인생을 받아들이고 예상치 못한 것을 기대하라'

소개해 드리는 곡은 비틀즈의 멤버인 링고 스타Ringo Starr가 부른 'You Never Know'입니다. 영화음악의 숨은 명곡 중 한 곡이죠. 세계적인 보이 그룹 비틀즈의 멤버로서 화려한 삶을 살았고, 드러머로서도 최고의 자리에 오른 링고 스타가 중년 아저씨가 되어서 우리에게 덤덤히 불러 주는 이 곡은 누구나 공감할 수 있는 멋진 가사와 링고 스타의 호소력이 더 해진 좋은 곡입니다.

이 곡은 〈내 사랑 컬리수〉의 엔딩에 등장합니다. 〈나 홀로 집에 1,2,3〉, 〈베토벤Beethoven, 1992〉, 〈개구쟁이 데니스Dennis The Menace, 1993〉등 주로 어린이 가족영화 이야기를 써온 각본가 존 휴즈John Hughes가 각본도 쓰고 감독까지 맡았습니다. 이 곡은 가

족이 된 세 사람이 눈을 맞으며 밤거리를 걷는 엔딩에 흘러나오는데요. 그 장면과 궁합이 참 잘 맞습니다. 코미디 배우 제임스 벨루시James Belushi가 출연하여 극의 중심을 잡고 어린이 주인공인 컬리 수역으로 알리산 포터Alisan Porter가 맡아 귀엽고 사랑스러운 연기를 잘 소화해 냈습니다. 영화도 한 편의 가족 드라마를 본다는 느낌으로 보면 두 시간이 금방 지나가죠.

이 곡이 마음에 와 닿으셨다면 비틀즈의 11번째 앨범 애비 로드Abbey Road에 실려 있는 'Here Comes the Sun(1969)'도 함께 들어보세요.

당신은 모를 거예요. 그 하루가 당신을 어디로 데려갈지.

연애 쎈타 (Rome Adventure, 1962)
1962년 7월 7일 토요일 개봉, 미국

 Volare(1958) - 도메니코 모두뇨(Domenico Modugno)

　어빙 파인맨Irving Fineman의 소설 〈Lovers Must Learn(1932)〉
을 원작으로 한 이 영화는 트로이 도나휴Troy Donahue가 주연을,
델머 데이브즈Delmer Daves가 감독을 맡았습니다. 두 사람은 이
영화 이외에도 〈피서지에서 생긴 일A Summer Place, 1959〉, 〈청춘
은 밤이 없다Susan Slade, 1961〉에서도 호흡을 맞췄습니다. 지금도
그렇지만 감독과 배우가 여러 영화에서 함께 하는 경우가 있습니
다. 세상일이란 사람과 사람이 하는 것이기 때문에 서로의 생각
이 잘 맞으면 어떤 일을 할 때 좋은 결과가 일어나는 경우가 많이
있습니다. 나와 호흡이 잘 맞는 사람을 만나는 것만큼 소중하고

감사한 일도 없는 것 같아요.

남주인공인 트로이 도나휴는 듬직하고 남자답게 잘생긴 전형적인 미국 백인 배우입니다. 감독을 맡은 델머 데이브즈는 우리에게 익숙한 데보라 카 주연의 〈러브 어페어(1957)〉의 각본을 쓴 분입니다. 주로 로맨스 영화를 많이 만들었는데 그쪽에 일가견이 있으신 분인 것 같아요.

음악은 '영화음악의 아버지'라고도 불리는 오스트리아 출신의 영화음악가 맥스 스타이너Max Steiner가 맡았습니다. 그의 대표작인 〈킹콩King Kong, 1933〉, 〈바람과 함께 사라지다Gone with the Wind, 1939〉, 〈카사블랑카Casablanca, 1942〉, 〈아버지의 인생 Life With Father, 1947〉등 영화의 이름만 들어도 영화음악의 클래식이라 할 수 있는 좋은 곡을 작곡했음을 알 수 있습니다. 특히 〈바람과 함께 사라지다〉의 'Tara's Theme', 〈카사블랑카〉의 'As Time Goes By', 〈킹콩〉의 메인테마는 조금만 들어봐도 우리에게 친숙한 곡들입니다. 초창기에는 영국에서 활약했지만 1차 세계대전이 발발하면서 오스트리아 출신인 그가 적대국인 영국에서 일하는 건 어려웠기 때문에 미국으로 건너가게 되었습니다.

그리고 브로드웨이 연극, 뮤지컬 음악 작업을 하다 영화음악의
길로 들어섭니다.

소개해 드리는 영화의 국내 개봉명은 연애 쎈타인데요. 아마 바
람둥이 남주인공 때문에 이렇게 제목이 붙은 것 같아요. 원제는
'로마에서의 모험'입니다. 사운드트랙 중에서는 사랑의 테마 '알
디라Al Di La, 1961'가 가장 유명하지만 추천해 드리는 곡은 'Vol-
are(1958)'입니다. 이 곡은 사랑의 테마와 마찬가지로 맥스 스타
이너의 오리지널 스코어는 아니고 이탈리아의 배우 겸 가수 도메
니코 모두뇨Domenico Modugno의 원곡을 더 편안한 느낌으로 편
곡한 곡입니다. 여행 중 달리는 차 창 밖 멋진 경치를 바라보며 들
으면 그만이겠다는 생각이 들게 만드는 곡입니다. 도메니코 모두
뇨는 이 곡으로 1회 그래미상을 수상 하였습니다.

워낙 곡이 좋아서 1960년대 이후부터 최근까지 줄기차게 리메
이크 되고 있는데요. 그중에서 그룹 집시킹즈Gipsy Kings의 1989
년 버전, 그리고 미국의 가수 겸 프로듀서인 배리 화이트Barry
White의 1991년 버전을 같이 감상해 봅시다. 집시킹즈는 그룹

이 가지고 있는 그 느낌대로 신나게 표현했고, 배리 화이트는 특유의 동굴 목소리로 또 다른 느낌의 Volare를 만들었습니다. 맥스 스타이너의 다른 곡이 한 곡 더 듣고 싶어지셨다면 그의 곡 중 빼놓을 수 없는 명곡이죠. 〈피서지에서 생긴 일〉의 메인테마 'A Summer Place(1959)'도 놓치지 마세요.

누가 로저 래빗을 모함했나
(Who Framed Roger Rabbit, 1988)
1990년 8월 4일 토요일 개봉, 미국

 Eddie's Theme(1988) - 앨런 실베스트리(Alan Silvestri)

　로버트 저멕키스 감독이 1988년에 발표한 이 영화는 애니매이

션과 영화를 합성한 다소 독특한 컨셉입니다. 이런 시도는 이미

디즈니에서 파멜라 린든 트래버스Pamela Lyndon Travers의 원작 소

설을 영화화한 〈메리 포핀스Mary Poppins, 1964〉에서 만나 본 적

이 있죠. 스티븐 스필버그 감독도 제작에 참여했는데요. 자국의

인기 만화캐릭터를 모두 등장시켜 엄청난 볼거리의 영화를 만들

고 싶었던 것 같습니다. 제작은 디즈니 소속의 영화사인 터치스

톤 사에서 했으므로 '미키 마우스Mickey Mouse, 1928', '도널드 덕

Donald Duck, 1934', '구피Goofy, 1932' 등 디즈니 캐릭터를 쓰는 데

는 큰 무리가 없었겠지만 다른 캐릭터는 소속 영화사의 동의가 있어야 했죠.

지금이야 미국의 대표 만화를 얘기해 보라고 하면 많은 분이 DC나 Marvel을 이야기하겠지만 20세기에는 디즈니의 만화와 워너 브라더스사가 가지고 있는 '루니툰Looney Tunes'이 아닐까 싶습니다. 대표 캐릭터라고 하면 단연 '벅스 버니Bugs Bunny, 1940'입니다. 한 손에는 당근을 들고 시청자를 익살스럽게 쳐다보는 키 큰 회색 토끼의 얼굴을 기억하실 겁니다. 스필버그는 워너 브라더스사 소속의 캐릭터 이외에도 '뽀빠이Popeye, 1919', '톰과 제리Tom & Jerry, 1940' 등도 출연시키기 위해 협의를 해왔지만 워너 브라더스 이외에는 성과를 보지 못한 것 같습니다. 그래도 벅스 버니와 미키 마우스, 도널드 덕과 대피 덕Daffy Duck, 1937을 한 영화에서 볼 수 있다는 건 대단한 성과라고 할 수 있겠습니다.

형식은 애니메이션이지만 내용은 중학생 이상은 되어야 재미있을 것 같아요. 영화에는 만화 캐릭터 말고도 진짜 배우도 출연하는데 주연 배우는 밥 호스킨스Bob Hoskins입니다. 다양한 장르의 영화에서 많은 캐릭터를 맡았지만 그래도 저는 〈후크Hook,

1991〉에서 후크선장의 부하 스미역, 〈수퍼 마리오Super Mario Bros, 1993〉의 마리오역에서 보여줬던 어린이가 다가가기 쉬운 그런 친근한 모습으로 그가 더 기억에 많이 남습니다. 빽 투 더 퓨쳐 시리즈에서 브라운 박사역을 맡았던 크리스토퍼 로이드Christopher Lloyd도 출연해요.

음악은 로버트 저멕키스 감독의 음악 동반자 앨런 실베스트리가 맡습니다. 재즈풍의 이 사운드트랙이 참 멋진데요. 그중에서도 밥 호스킨스가 연기한 주인공인 '에디의 테마Eddie's Theme'가 좋습니다. 리드미컬한 콘트라베이스, 시원시원한 트럼펫, 깊은 색소폰 연주를 듣다 보면 어느새 음악에 젖어들게 되는 곡입니다. 평상시 오케스트라가 연주하는 앨런 실베스트리의 스코어를 많이 들었는지라 에디의 테마는 좀 다르게 다가오실 겁니다. 이 곡이 마음에 와 닿았다면 영화 〈세렌디피티Serendipity, 2001〉에 수록된 앨런 실베스트리의 또 다른 느낌의 곡 'Fast Foward(2001)'를 감상해보세요.

당신은 스스로 좋은 사람이라는 걸 깨달아야 해.

할렘나이트 (Harlem Nights, 1989)
미개봉, 미국

 Opening Theme(1989) - 허비 행콕(Herbie Hancock)

　재즈나 펑크를 좋아하시는 분들에게 허비 행콕은 친숙한 이름일 것입니다. 그는 어린 시절부터 이미 피아노 천재로 명성을 날렸다고 해요. 일찍이 재즈하면 **빼놓을 수 없는** 인물 중 한 명인 트럼페터 마일스 데이비스Miles Davis에게 발탁되어 그의 밴드 멤버가 됩니다. 이후 음악 활동을 하면서 그래미상을 무려 14회나 수상했으니 참 대단한 사람입니다. 오스카상도 수상 했는데요. 사실 이분의 대표적인 영화음악은 〈라운드 미드나잇Round Midnight, 1986〉의 메인테마인 'Round Midnight' 입니다. 들어보시면 '아! 이것이 진짜 블루스의 맛인가?'라는 생각이 듭니다. 어두운 조명이 켜진 어느 재즈바에 앉아 이름 모를 어떤 실력파 밴드의 곡을 듣고 있는 것 같은 느낌이 듭니다. 라운드 미드나잇이 워낙 유명하다 보니 소개해 드리는 이곡은 영화도 음악도 거의 알려지지 않은 곡이에요.

영화는 〈비버리힐스 캅〉 시리즈로 유명한 흑인 코미디 배우인 에디머피가 감독과 주연을 맡았습니다. 우리나라에선 개봉하지 않았어요. 매년 당해 최악의 영화에 수상하는 골든 라즈베리상 Golden Raspberry Awards, 미국 아카데미 시상식 하루 전날 발표하며 1981년 부터 시작함이라는 게 있는데 그 상을 받은 걸 보면 큰 재미나 볼거리가 있는 영화는 아닌 것 같습니다. 물론 저도 보진 못했습니다. 그래도 허비 행콕의 음악은 참 좋습니다. 'Opening Theme'에서 들려주는 색소폰, 트럼펫 연주가 짧지만 상당히 멋있습니다. 이 곡이 마음에 와닿으셨다면 허비 행콕의 다른 곡도 들어보겠습니다. 1976년에 발표한 'Gentle Thoughts'인데요. 베이스 연주가 정말 멋진 곡입니다. 앞서 소개해 드린 곡은 블루스 느낌이 강하지만 이 곡은 펑크 느낌이 강한 곡이에요. 멋진 곡이니 꼭 한번 감상해 보세요.

굿바이 뉴욕 굿모닝 내 사랑 (City Slikers, 1991)
1991년 11월 30일 토요일 개봉, 미국

 Where Did My Heart Go?(1991) - 제임스 잉그램(James Ingram)

I can run but I can't hide

도망갈 수는 있지만 숨을 수는 없어

From all these dreams that I keep inside

내가 간직해온 이 모든 꿈으로부터

Now, it's gonna to take a while

그래, 시간이 좀 걸리겠지만

But, I've got to learn to smile again

다시 미소 짓는 법을 배워야만 해

제임스 잉그램 하면 I did my best~로 시작하는 'Just Once(1981)'가 가장 먼저 떠오릅니다. Just Once 말고도 같은 앨범에 실려 있는 'One Hundred Ways'로 그래미상을 수상 했고, 패티 오스틴Patti Austin과 함께한 'Baby, Come to Me(1982)'로 빌보드 1위를 기록했습니다. 넓은 음역과 여운이 남는 고음 그리고 특유의 리듬감 넘치는 목소리가 많은 사람의 마음에 감동을 준 가수입니다.

영화음악에서도 좋은 기억을 많이 가지고 있는데요. 애니메이션 〈피블의 모험An American Tail, 1986〉에서 린다 론스태트Linda Ronstadt와 함께 부른 'Somewhere Out There(1986)'가 빌보드 2위를 기록했었고 〈비버리힐스 캅 2Beverly Hills Cop II, 1987〉 사운드트랙 중에서 'Better Way(1987)', 〈베토벤 2Beethoven's 2nd, 1993〉중에서 돌리 파튼과 함께 부른 'The Day I Fall in Love(1993)'가 영화음악 팬들로부터 많은 사랑을 받았습니다. 이력을 보면 듀엣곡이 많은 사랑을 받았는데요. 솔로일 때도 물론 훌륭하지만, 상대 가수를 받쳐주면서 치고 나가는 듀엣일 때 그 목소리가 조금 더 돋보이는 것 같습니다.

영화에서는 엔딩에 이 곡이 등장합니다. 저는 이 곡에 조금은 특별한 애정을 가지고 있습니다. 세상에 영화음악이라는 장르가 따로 있다는 걸 알게 된 게 1991년 이었습니다. 그 후 공테이프를 사서 처음 녹음한 영화음악이 바로 이 곡이었거든요. 그 때문에 초심의 감정을 떠올리고 싶을 때 이 곡을 들어왔습니다. 편안한 멜로디에 폭풍 같은 가창력이 쌓인 참 멋진 곡입니다.

영화의 원제목인 〈City Slicker〉는 전형적인 도시인이라는 뜻인데요. 주인공 아저씨들이 도시를 떠나 자연인 체험을 하면서 삶을 되돌아본다는 코미디영화입니다. 1990년대 아카데미 시상식을 자주 진행했던 코미디 배우 빌리 크리스탈Billy Crystal이 주연을 맡았고 원로배우 잭 팰런스Jack Palance가 출연하여 아카데미 조연상을 받았습니다.

곡이 마음에 와 닿으셨다면 영화 〈사라피나Sarafina!, 1992〉중에서 마이클 볼튼Michael Bolton의 곡을 제임스 잉그램이 커버한 'One More Time(1989)'을 함께 들어보세요.

다시 미소 짓는 법을 배워야만 해.

007 골든아이 (GoldenEye, 1995)
1995년 12월 16일 토요일 개봉, 영국

Experience of Love(1995) - 에릭 세라(Eric Serra)

It helps keep you alive

사랑은 당신이 살아갈 수 있도록 도와줍니다

But the experience of loving won't take all the pain away

하지만 사랑의 경험이 모든 아픔을 없애 주진 않을 거예요

Just understanding for the first time what you feel inside

그대 내면의 세계에 대한 첫 공감

Love is in your life

사랑은 당신의 삶 속에 있습니다

프랑스의 대표 영화음악가 중 한 명인 에릭 세라는 유명 영화감독인 뤽 베송Luc Besson과 많은 영화에서 함께 했습니다. 데뷔작인 〈마지막 전투Le Dernier Combat, 1983〉로 인연을 맺은 이후 〈서브웨이Subway, 1985〉, 〈그랑블루Le Grand Bleu, 1988〉, 〈레옹Leon: The Professional, 1994〉, 〈제5원소The Fifth Element, 1997〉등 뤽 베송의 대표작에서 꼭 음악을 맡았었습니다. 뤽 베송 감독은 프랑스 영화사에서는 빼놓을 수 없는 인물이지만, 여성 편력과 성추행 이력 등 한 남자의 삶으로선 평범한 길을 걷지는 않았습니다.

에릭 세라의 신디사이저를 기반으로 한 음악은 반젤리스, 조르지오 모로더와는 또 다른 매력이 있기에 많은 영화음악팬들이 사랑한 작곡가입니다. 1980~90년대에는 오직 뤽 베송의 영화에만 참여했던 그가 1995년 딱 한 번 다른 감독과 작업을 하게 되니 바로 〈마스크 오브 조로〉 시리즈를 감독한 마틴 캠벨Martin Campbell의 〈007 17편 골든아이〉입니다.

〈골든아이〉는 007시리즈의 원작자인 이언 플레밍이 정보기관인 MI6에서 은퇴하고 머물며 소설을 집필한 자메이카에 있는 별장 이름입니다. 그가 정보기관에서 일했을 당시 참여했던 작전인 골든아이 작전에서 이름을 따왔다고 합니다. 스페인 내에 독일군 침투를 저지하는 작전이었다고 해요.

2021년 현재 영화화되지 않은 이언 플레밍의 제임스 본드 소설은 '위험한 거래Risico, 1960', '힐데브란트 희귀어The Hildebrand Rarity, 1960', '뉴욕의 007007 in New York, 1966', '한 여인의 자산 The Property of a Lady, 1966', 이렇게 4편이 남아 있는데요. 이 소설들이 언제 영화로 만들어질지, 그리고 이 시리즈는 언제까지 계속될지 참 궁금합니다. 개인적으로는 언젠가 남아있는 원작 소설을 영화화한 작품이 개봉하면 제가 아버지와 비슷한 추억을 만들었던 것처럼 딸과 제임스 본드 이야기를 만나러 영화관으로 향하는 소박한 꿈도 가져봅니다.

지금은 아니지만 007시리즈는 1960년대부터 1980년대까지 매년 혹은 2~3년에 한 편씩 꼭 개봉했었습니다. 그런 제임스 본드 시리즈가 16편 이후 무려 6년 만에 선보이는 17편이었기 때문에 많은 곳에서 변화를 주었습니다. 먼저 주인공인 제임스 본드가 티모시 달튼Timothy Dalton에서 아일랜드 출신의 미남 배우 피어스 브로스넌Pierce Brosnan으로 바뀌었고, 본드의 상관인 'M' 역시 교체되어 2대 M인 로버트 브라운Robert Brown에서 3대 M인 주디 덴치Judi Dench로 변경되었습니다. 그리고 음악 감독이 바뀌었어요. 2편부터 15편까지 음악을 맡았던 존 배리가 떠나고 16편에는 마이클 캐먼Michael Kamen이 맡았다가 17편에 에릭 세라로 교체됩니다.

 이 곡은 엔딩 크레딧에 등장하는 곡입니다. 환한 낮에 듣기보다는 비가 오거나 조용한 밤에 들으면 제격인 곡입니다. 오프닝이자 주제가인 티나 터너Tina Turner의 강력한 주제가 'Goldeneye(1995)'가 있어서 이 곡이 빛을 보지 못하고 가려져 있지만 참 멋진 곡입니다. 노래를 듣고 에릭 세라의 스코어가 궁금해진 분이라면 영화 〈니키타Nikita, 1990〉 중에서 'The Free Side(1990)'도 함께 감상해보세요.

은행털이와 아빠와 나 (Les Fugitifs, 1986)
1990년 2월 17일 토요일 개봉, 프랑스

 Jeanne et Lucas(1986) - 블라디미르 코스마(Vladimir Cosma)

　1980년대부터 우리나라에도 서서히 홈 비디오 시장이 구축되기 시작합니다. 당시 드물었던 홈 비디오 시장도 일본 JVC社의 VHS 방식과 소니社의 베타맥스(β max) 방식이 각축을 벌여서 같은 영화의 비디오 데이프라도 두 개의 방식으로 출시되었습니다. 1990년대에 접어들면서 VHS 방식으로 대세의 흐름이 정해졌고 비디오 대여점이 점점 늘어났어요. 드디어 개봉영화를 놓친 분들이 더 이상 개봉 후 수년 뒤 TV에서 방영해 주기까지 기다리지 않을 수 있게 된 것입니다. 몇 개월만 지나면 비디오 테이프를 빌려서 볼 수 있게 되었기 때문이죠. 하지만 여전히 가격

이 부담스러운 비디오테이프를 재생할 수 있는 플레이어〔흔히 VTR(Video Tape Recorder)이라고 불렀습니다〕를 갖춰야 하는 한계는 있었습니다.

　대작의 경우는 인기가 좋아서 빌리기가 힘들었어요. 빌리러 가면 다른 사람이 이미 빌려가고 없어서 꼭 보고 싶은 영화는 대여 예약을 해야 했습니다. 어떤 가게는 대여 중이라는 라벨을 플라스틱 재질의 비디오 박스 커버에 붙여 놓은 곳도 있었고, 어떤 곳은 대여 중인 영화는 비디오 박스를 뒤집어 놓아서 표시해 놓는 때도 있었습니다. 그런데 가끔 본인이 조만간 빌려 가기 위해 인기 많은 영화를 대여 중인 것처럼 뒤집어 놓고 간 분들이 있었어요. 그래서 비디오 커버 박스가 뒤집어 있어도 한 번씩 흔들어 봐야 했습니다. 그렇게 인기가 많아서 영화를 찾는 경우 말고, 그냥 영화가 보고 싶어 비디오샵을 찾은 날은 흔히 주인아저씨나 아주머니에게 재미있는 영화를 추천해 달라고 하는 경우도 자주 있었습니다.

　생계를 위해 비디오샵을 운영하셨겠지만, 기본적으로 영화를 좋아하셨던 분들이 꽤 많이 계셨던 것 같습니다. 처음 듣는 영화인데 주인아저씨, 아주머니가 추천해 주셔서 본 영화가 재미있는 경우가 많았기 때문이죠. 바로 이 영화가 그랬습니다. 비디오 렌탈샵 주인아주머니가 추천해 주셔서 봤는데 영화도 좋았고 음악은 더 좋은 영화였어요.

영화는 프랑스에서 흥행에 꽤 성공했는지 2편까지 나왔습니다. 실어증에 걸린 귀여운 소녀, 영화 제목으로 치면 '나'가 되겠네요. 맑고 큰 두 눈동자가 귀여운 아역배우 아나이스 브렛Anais Bret은 딱 이 영화 한 편만을 남겼습니다. 불어 연기인지라 잘은 모르겠지만 크게 연기를 못한다는 느낌은 못 받았는데 말이죠. '아빠'역에는 코미디 배우 피에르 리샤르Pierre Richard가, 끝으로 '은행털이'역에는 당시 프랑스의 국민배우였던 제라르 드빠르디유Gerard Depardieu가 출연했습니다. 순수한 한 아이가 있었기 때문에, 그 아이를 사랑하는 아빠가 있었기 때문에, 그리고 두 사람을 사랑하는 은행털이가 있었기 때문에 잔잔한 감동을 선사했던 영화입니다.

음악은 앞서 소개해 드린적이 있는 루마니아 출신의 블라디미르 코스마가 맡았습니다. 추천해 드리는 'Jeanne et Lucas'는 단연 최고입니다. 짧아서 아쉬울 정도로 느껴지죠. 멜로디는 같지만 좀 더 잔잔한 피아노 연주곡인 '잔느의 테마Theme De Jeanne'도 많은 사랑을 받았습니다. 블라디미르 코스마의 곡이 마음에 와닿으셨다면 프랑스 영화 〈디바Diva, 1984〉 중에서 'Sentimental Walk(1981)'도 감상해 보세요.

희극지왕 (喜劇之王, 1999)
2000년 2월 26일 토요일 개봉, 홍콩

The Way You Make Me Feel(1999) - 막문위(莫文蔚)

1970~1990년대는 우리나라에서 홍콩영화가 정말 많은 인기를 얻었습니다. 저도 골든 트리오[성룡成龍, 홍금보洪金寶, 원표元彪]가 나오는 홍콩영화를 참 좋아했고 다른 배우들이 나온 영화들도 많이 보았습니다. 미남 배우 주윤발周潤發을을 좋아하셨던 분이시라면 〈첩혈쌍웅喋血雙雄, 1989〉을 기억하실 겁니다. 총싸움이 정말 멋진 영화였어요. 거기에 주윤발 주연의 다른 영화 〈영웅본색英雄本色 1,2, 1987,1988〉의 인기가 엄청났었어요. 그래서 당시 초, 중학생들 사이에서 프라모델 총조립이 엄청난 인기를 끌었고 권총 완구도 정말 많이 팔렸습니다. 총은 새총slingshot이 전

부였던 어린이들 사이에서도 점점 외국 유명 총기 이름인 '스미스&웨슨Smith&Wesson', '매그넘Magnum', '레밍턴Remington'을 스스럼없이 얘기하기 시작했습니다. 장난감회사야 좋았겠지만, 부모님들은 비교적 비싼 장난감 총을 사달라고 떼쓰는 아이들이 많아져서 싫으셨을 겁니다. 더구나 총이라는 게 아이들 교육에 좋을 리 없죠.

〈첩혈쌍웅〉에는 주윤발과 함께 유명배우 이수현李修賢이 출연합니다. 주성치周星馳는 이수현의 눈에 들어 본격적으로 영화계에 들어서게 됩니다. 초창기에는 당시 홍콩에서 유행했던 느와르 장르에 출연했어요. 〈벽력선봉霹靂先鋒, 1988〉, 〈도성賭聖, 1990〉, 〈도협至尊無上3-賭俠, 1990〉 등으로 큰 인기를 끕니다. 이후 1990년대에 들어와 본인의 입지를 굳히고 나서부터는 B급 코미디의 진수를 보여주기 시작하는데요. 〈신격대도神擊大道, 1991〉, 〈정고전가整蠱專家, 1991〉, 〈무장원 소걸아武壯元 蘇乞兒, 1992〉, 〈녹정기鹿鼎記, 1992〉, 〈파괴지왕破壞之王, 1994〉, 〈식신食神, 1996〉등에서 특유의 웃음코드로 많은 사랑을 받았습니다. 21세기에 들어와서도 〈소림축구少林足球, 2001〉, 〈쿵푸 허슬功夫, 2004〉로 계속 그 인기를 이어 갔어요.

주성치의 코미디는 줄거리가 늘 비슷합니다. 최고 못난이가 최고 멋쟁이가 되거나 여기저기 치이는 동네북이 무림의 고수로 급변하는 이야기가 많습니다. 앞서 1994년에 미녀 배우 종려시鍾麗提, 혹은 종려제와 함께 파괴지왕에서 보여줬던 유사한 웃음폭탄을 다시 끌어모아 희극지왕에서 완성도를 좀 더 높인 것 같습니다. (웃음코드가 맞지 않으신 분들은 주성치의 코미디가 불편하실 수 있습니다.)

주성치가 주연하는 영화에는 자주 등장하는 여배우가 있습니다. 구숙정邱淑貞, 막문위莫文蔚, 장민張敏입니다. 세 분 모두 미모가 출중한 분들이죠. 하지만 예쁜 얼굴을 이상하게 분장을 한다든가 뜬금없는 배역을 맡긴다든가 하는 식으로 웃음을 유발하는 때도 자주 있었어요. 이 영화에는 장백지張柏芝가 출연하여 당시 10대임에도 불구하고 어른스러운 모습을 보여줍니다.

주제가는 이 영화에도 출연한 배우 막문위모원웨이, 영어명 : Karen Mok가 불렀습니다. 가수를 겸업하고 있어서 음반도 꾸준히 많이 낸 참 재능이 많은 배우입니다. 소개해 드리는 곡은 주제가인 'The Way You Make Me Feel' 입니다. 들어보시면 아시겠

지만 막문위는 노래도 참 잘합니다. 이 곡이 마음에 드셨다면 막
문위의 '一切安好(2014)'도 한번 들어보세요. 2001년 이후의 홍
콩영화는 광동어廣東語로 상영하는 영화의 편수가 많이 줄어듭니
다. 이 영화는 주제가를 광동어 부르는데요. 같은 사람이 불러도
발음에 따라 그 느낌이 조금 다르니 한어漢語로 부르는 '一切安
好'를 들어보면서 비교해 보시는 것도 재미있으실 것 같습니다.

　또 다른 곡도 하나 소개해 드리려 합니다. 주성치 영화를 좋아하
신 분들은 '서유쌍기西遊雙記'라고 불리는 〈서유기 월광보합西遊記
月光寶盒, 1994〉, 〈서유기 선리기연西遊記 仙履奇緣, 1994〉을 최고로
꼽고 계시는 분들이 많습니다. 이 영화에서 영감을 받아 만든 1
인 밴드 '달빛요정 역전만루홈런'의 '주성치와 함께라면(2010)'
도 함께 감상해 보세요.

보이즈 앤 후드 (Boyz n the Hood, 1991)
미개봉, 미국

 Setembro(Brazilian Wedding Song, 1980) - 퀸시 존스(Quincy Jones)

보이즈 앤 후드의 사운드 트랙에는 'Brazilian Wedding Song'
이라는 부제가 붙어있는 'Setembro'가 수록되어 있습니다. Se-
tembro는 포르투갈어로 9월이란 뜻입니다. 브라질은 포르투갈
어를 사용하고 있죠. 남반구에 있는 나라여서 9월이면 봄이 찾아
와 결혼하기 좋은 계절이 돌아오는 달일 것 같습니다. 그래서 웨
딩송이라는 부제가 붙어있는 것 같아요.

퀸시 존스는 그래미상을 28회나 수상한 작곡가 겸 프로듀서입
니다. 자타가 인정하는 미국 대중음악계의 거물이죠. 뮤지션 이
름에 퀸시 존스를 적어놨지만, 원곡자는 따로 있습니다. 이 곡은

브라질 작곡가 이반 린스Ivan Lins의 곡을 리메이크한 곡인데요. 아카펠라와 허밍 그리고 색소폰이 어우러진 아름다운 곡입니다. 퀸시 존스가 편곡하면서 원곡을 조금 더 세련되게 만든 것 같은 느낌이 듭니다. 환한 낮보다는 일몰이 다가오는 저녁 시간이나 한밤중에 들으면 참 멋진 곡입니다.

퀸시 존스가 작곡하고 프로듀싱한 곡이 워낙에 많다 보니 이 곡이 마음에 드신다면 어떤 곡을 소개해 드려야 하나 고민하던 어느 날, 편의점 아이스크림 박스 안에 있는 부라보콘을 발견하였습니다. 그 아이스크림을 보면서 1980년대 말 당대 인기가수들을 모아서 찍은 '부라보콘 CF'가 생각이 났고 그 광고의 원조인 퀸시 존스의 'We Are The World(1985)'가 떠올랐어요. 그리고 이 곡 만큼 영화음악의 장점을 설명하기 좋은 곡도 없을 것 같다는 생각이 들었습니다.

1984년 에티오피아에 엄청난 기근이 있었습니다. 그 때문에 지구촌의 많은 이들이 관심을 가지기 시작했습니다. 이때 미국에서 자국의 최고인기 뮤지션들이 모여 자선 음반을 만들었는데요. 이

대규모 가수군단을 모아 프로듀싱한 사람이 바로 퀸시 존스입니다. 이 프로젝트에 참가한 가수 중 일부를 나열해 볼까요? 작사, 작곡에 마이클 잭슨, 라이오넬 리치, 그 외에 참여한 가수로 스티비 원더, 폴 사이먼, 제임스 잉그램, 티나 터너, 디온 워릭, 알 재로, 케니 로긴스, 휴이 루이스, 신디 로퍼, 레이 찰스, 배트 미들러... 이 책을 처음부터 차근차근 즐겨오신 분이시라면 거의 눈에 익은 이름일 것입니다.

 지금도 많은 뮤지션들이 영화 주제가를 부르거나 본인의 곡을 영화에 싣기도 합니다. 예나 지금이나 영화음악의 영향력에는 변화가 없는 것이죠. 음악은 영화에서 빼놓을 수 없는 장치입니다. 배우의 감정변화, 감독의 숨은 의도를 음악으로 표현하는 경우가 많이 있죠. 지금도 변함없이 영화음악에 관심을 가진다면 지금 최고의 뮤지션을 나도 모르게 만날 수 있으며 그게 아니더라도 가능성을 인정받고 있는 아티스트들의 음악을 미리 만날 수 있는 것입니다. 그럼 마지막 추천 곡인 'We Are The World'를 들으며 이번 편의 마무리를 지어 보겠습니다.

너를 잃고 싶지 않다. 넌 내게 하나밖에 없는 아들이야!

에필로그 _

 매년 12월 31일이 되면 묘한 기분이 듭니다. 초등학생이었을 때는 한 살을 더 먹고 상급생이 된다는 설렘도 있었지만, 시간이 지나갈수록 무언가로부터 쫓기는 것 같을 때도 있었고 올해도 별로 해놓은 것 없이 이렇게 나이만 한 살 더 먹는구나 하는 생각이 들 때도 잦았습니다. 새해에는 좋은 일이 많이 생기길 기도하며 올해 마지막 날 잠자리에 들지만, 새해 아침에 일어나도 큰 변화는 없었습니다.

 21세기 첫 번째 해인 2001년이 코앞으로 다가왔을 때, 저는 유명 SF 작가인 아서 C. 클라크가 각본을 쓰고 스탠리 큐브릭 Stanley Kubrick감독이 연출한 〈2001 스페이스 오디세이2001: A

Space Odyssey, 1968〉를 떠올렸습니다. 그 영화에 등장했던 우주선 '디스커버리 1'이 우주를 항해하고 그 우주선을 운영하는 인공지능 'HAL'이 승무원을 괴롭히는 장면이 생각났어요. 어릴 적에는 21세기가 되면 자동차가 하늘을 날고, 우주여행이 가능하며, 로봇이 인간이 하는 많은 일을 대신 수행하는 영화에서나 봤던 그런 세상이 오나 보다 하고 막연한 상상만 했습니다.

 자연스럽게 기다리던 21세기는 우리를 찾아왔고 세상의 속도는 더욱 빨라져 갔습니다. 하지만 21세기가 찾아와도 정작 나는 세상이 변한 것만큼 달라진 것은 별로 없었습니다. 아마 앞으로도 계속 그런 기억이 반복해서 쌓여갈 것 같습니다. 건조한 것 같은 일상의 삶 위에 행복하고 기쁜 일이 단비 내리듯 나를 찾아오겠지요. 사실 너무 많이 힘든 시기에는 귀에 아무것도 들어오지 않습니다. 하지만 그저 기분이 가라앉는 날이거나, 뭔가 좋은 일이 있을 것 같은 느낌이 드는 날, 하교하는 시간이나 일을 마치고 귀가할 때처럼 작은 기쁨이 있는 그 순간, 영화음악은 여러분에게 분명 좋은 친구가 되어 줄 것입니다. 이 책을 통해서 기성세대에겐 오랜 친구를, 새로운 세대에게는 가까이 있었지만 몰랐던 친구를 만난 작지만 의미 있는 시간이었으면 저는 행복할 것 같습니다.

이제 제 마음속 일기장에 남아 있는 첫 번째 영화음악 이야기를 마치려 합니다. 여러분께서 이 책에 있는 곡들에 공감해 주었다면 언젠가 그 곡들이 여러분의 마음을 달래줄 날이 있을 것입니다. 다음 이야기에서 또 만날 수 있을 날이 생기기를 바라며 인사드리겠습니다. 읽어 주셔서 감사합니다.

'A friend is always there to lend an ear.'

친구란 언제든 내 이야기를 들어주는 사람이지.

-'스누피(Peanuts, 1950~2000)' 중에서.

감사의 글_

　이 책을 구상하고 세상에 나오기까지 3년이라는 생각보다 많은 시간이 걸렸기에 감사의 글을 남깁니다. 먼저 이런 멋진 기회를 만들어 주신 예수님께 감사드립니다. 컨셉 구성에 도움을 준 아내, 그리고 부족한 나를 위해 늘 응원과 기도에 힘써 주시는 가족 여러분 정말 감사합니다. 고개를 떨구는 일이 자주 있었던 학창 시절, 영화음악이라는 친구를 알게 해준 조일수, 정은임 아나운서님께도 감사했다고 말씀드리고 싶습니다. 끝으로 자그마한 가능성을 긴 시간 동안 일관되게 신뢰해준 꿈공장 플러스 이장우 대표님에게 진심 어린 감사의 인사를 남깁니다.

내 일기장 속 영화음악

2021년 9월 8일 초판 1쇄 발행
2021년 9월 8일 초판 1쇄 인쇄

지은이 　　|　 김원중

책임편집 　|　 송세아
편집 　　　|　 이향, 박소라
제작 　　　|　 theambitious factory
인쇄 　　　|　 아레스트

펴낸이 　　|　 이장우
펴낸곳 　　|　 꿈공장 플러스
출판등록 　|　 제 406-2017-000160호
주소 　　　|　 서울시 성북구 보국문로 16가길 43-20 꿈공장1층
전화 　　　|　 010-4679 2734
팩스 　　　|　 031-624-4527
이메일 　　|　 ceo@dreambooks.kr
홈페이지 　|　 www.dreambooks.kr
인스타그램 |　 @dreambooks.ceo

ISBN 　|　979-11-89129-93-4

정 가 　|　14,000원